KIDS 키즈 수학 전문가가 만든 연산 교재

10 만들어 더하기

1주차 십 더하기 몇 9

2주차 10 만들어 더하기 23

3주차 수를 갈라서 더하기 39

4주차 도전! 계산왕 55

5주차 두 수의 덧셈 67

6주차 도전! 계산왕 85

교과 과정 완벽 대비
수학 전문가가 만든 연산 교재
다양한 형태의 문제로 재미있게 연습하는 원리셈

지은이의 말

수학은 원리로부터

수학은 구체물의 관계를 숫자와 기호의 약속으로 나타내는 추상적인 학문입니다. 이 점이 아이들이 수학을 어려워하는 가장 큰 이유입니다. 이러한 수학은 제대로 된 이해를 동반할 때 비로소 힘을 발휘할 수 있습니다. 수학은 어느 단계에서나 원리가 가장 중요합니다.

수학 교육의 변화

답을 내는 방법만 알아도 되는 수학 교육의 시대는 지나고 있습니다. 연산도 한 가지 방법만 반복 연습하기 보다 다양한 풀이 방법이 중요합니다. 교과서는 왜 그렇게 해야 하는지 가르쳐 주고 다양한 방법을 생각하도록 하지만, 학생들은 단순하게 반복되는 연습에 원리는 잊어버리고 기계적으로 답을 내다보니 응용된 내용의 이해가 부족합니다.

연산 학습은 꾸준히

유초등 학습 단계에 따라 4권~6권의 구성으로 매일 10분씩 꾸준히 공부할 수 있습니다. 원리와 다양한 방법의 학습은 그림과 함께 재미있게, 연습은 다양하게 진행하되 마무리는 집중하여 진행하도록 했습니다. 부담 없는 하루 학습량으로 꾸준히 공부하다 보면 어느새 연산 실력이 부쩍 늘어난 것을 알 수 있습니다.

개정판 원리셈은

동영상 강의 확대/초등 고학년 원리 학습 과정 강화 등으로 원리와 개념, 계산 방법을 더 쉽게 이해할 수 있도록 하고, 연습을 강화하여 학습의 완성도를 더했습니다.

학부모님들의 연산 학습에 대한 고민이 원리셈으로 해결되었으면 하는 바람입니다.

지은이 천종현

09 □에 알맞은 수를 써넣으세요.

$15 - \square = 6$

$11 - \square = 6$

10 가로와 세로에 쓰여 있는 수의 차를 빈 곳에 써넣으세요.

−	11	12	13
6			

−	13	14	15
9			

11 □에 알맞은 수를 써넣으세요.

$11 - \square = 10$

$19 - \square = 10$

12 문제를 읽고 알맞은 식과 답을 써 보세요.

버스에 14명이 타고 있다가 정류장에서 9명이 내렸습니다. 버스에 남아 있는 사람은 몇 명일까요?

식 : ______________________

답 : ______ 명

13 □에 알맞은 수를 써넣으세요.

$\square - 5 = 6$

$\square - 8 = 9$

14 아래 두 수의 차가 바로 위의 수가 되도록 빈 곳에 알맞은 수를 써넣으세요.

15 □에 알맞은 수를 써넣으세요.

$10 - 9 + 7 = \square$

$10 - 4 + 3 = \square$

16 문제를 읽고 알맞은 식과 답을 써 보세요.

수학 문제를 11문제 풀었는데 3문제를 틀렸습니다. 맞은 문제는 몇 문제일까요?

식 : ______________________

답 : ______ 문제

총괄 테스트

이름 점수

01 □에 알맞은 수를 써넣으세요.

17 - □ = 10

14 - □ = 10

02 차가 ◇ 안의 수가 되는 두 수를 찾아 선으로 이어 보세요.

11 •	• 7
13 •	• 14
8 •	• 5

03 □에 알맞은 수를 써넣으세요.

14 - 9 = □

11 - 8 = □

04 문제를 읽고 알맞은 식과 답을 써 보세요.

과학실에 15명의 학생들이 있었는데 중간에 7명이 야외에서의 과학 실험을 위해 과학실을 나갔습니다. 과학실에 남아 있는 학생은 몇 명일까요?

식: ______________________

답: ______ 명

05 □에 알맞은 수를 써넣으세요.

□ - 9 = 10

□ - 6 = 10

06 빈 곳에 알맞은 수를 써넣으세요.

16	
□	7

13	
5	□

07 □에 알맞은 수를 써넣으세요.

10 - 7 + 4 = □

10 - 5 + 2 = □

08 문제를 읽고 알맞은 식과 답을 써 보세요.

민정이는 초콜릿 12개를 가지고 있다가 친구에게 8개를 주었습니다. 민정이에게 남아 있는 초콜릿은 몇 개일까요?

식: ______________________

답: ______ 개

원리셈의 특징

원리셈의 학습 구성

한 권의 책은 매일 10분 / 매주 5일 / 6주 학습

원리셈의 시나브로 강해지는 학습 알고리즘

키즈 원리셈은

시작은 원리의 이해로부터, 마무리는 충분한 연습과 성취도 확인까지

체계적인 학습 구성

쉽게 이해하고 스스로 공부!
실수가 많은 부분은 별도로 확인하고 연습!
주제에 따라 실전을 위한 확장적 사고가 필요한 내용까지!
원리로 시작되는 단계별 학습으로 곱셈구구마저 저절로 외워진다고 느끼도록!

원리셈 전체 단계

키즈 원리셈

5·6세	
1권	5까지의 수
2권	10까지의 수
3권	10까지의 수 세어 쓰기
4권	모아 세기
5권	빼어 세기
6권	크기 비교와 여러 가지 세기

6·7세	
1권	10까지의 더하기 빼기 1
2권	10까지의 더하기 빼기 2
3권	10까지의 더하기 빼기 3
4권	20까지의 더하기 빼기 1
5권	20까지의 더하기 빼기 2
6권	20까지의 더하기 빼기 3

7·8세	
1권	7까지의 모으기와 가르기
2권	9까지의 모으기와 가르기
3권	덧셈과 뺄셈
4권	10 가르기와 모으기
5권	10 만들어 더하기
6권	10 만들어 빼기

초등 원리셈

1학년	
1권	받아올림/내림 없는 두 자리 수 덧셈, 뺄셈
2권	덧셈구구
3권	뺄셈구구
4권	□ 구하기
5권	세 수의 덧셈과 뺄셈
6권	(두 자리 수)±(한 자리 수)

2학년	
1권	두 자리 수 덧셈
2권	두 자리 수 뺄셈
3권	세 수의 덧셈과 뺄셈
4권	곱셈
5권	곱셈구구
6권	나눗셈

3학년	
1권	세 자리 수의 덧셈과 뺄셈
2권	(두/세 자리 수)×(한 자리 수)
3권	(두/세 자리 수)×(두 자리 수)
4권	(두/세 자리 수)÷(한 자리 수)
5권	곱셈과 나눗셈의 관계
6권	분수

4학년	
1권	큰 수의 곱셈
2권	큰 수의 나눗셈
3권	분모가 같은 분수의 덧셈과 뺄셈
4권	소수의 덧셈과 뺄셈

5학년	
1권	혼합 계산
2권	약수와 배수
3권	분모가 다른 분수의 덧셈과 뺄셈
4권	분수와 소수의 곱셈

6학년	
1권	분수의 나눗셈
2권	소수의 나눗셈
3권	비와 비율
4권	비례식과 비례배분

키즈 원리셈의 단계별 학습 목표

초등학교 입학 준비는 키즈 원리셈으로!!

키즈 원리셈 단계를 고를 때는 아이의 배경지식에 따라 아래의 학습 목표를 참고하세요.

5·6세 단계

수와 연산을 처음 접하는 아이들을 위한 단계
수를 익히고, 덧셈, 뺄셈을 이해
덧셈, 뺄셈 기호는 나오지 않지만, 덧셈, 뺄셈의 상황을 그림으로 제시
필기를 최소화 / 붙임 딱지 이용
매주 마지막 5일차에는 재미있게 사고력 키우기 "사고력 팡팡 "

6·7세 단계

10까지의 수를 알지만 덧셈, 뺄셈을 처음 하는 아이들을 위한 단계
1에서 20까지의 수를 익히면서 더하기 빼기 1, 2, 3
수를 똑바로 세면 덧셈, 거꾸로 세면 뺄셈이라는 것을 이해하고 연산에 이용
수 세기를 먼저 배운 후, 같은 개념을 덧셈, 뺄셈에 적용
10이 넘어가는 덧셈도 받아올림을 하는 것이 아니라 수의 순서로 이해

7·8세 단계

한 자리 덧셈, 뺄셈의 개념은 있지만 연습이 필요한 아이들을 위한 단계
초등 1학년 1학기 교과에 해당하는 내용
가르기와 모으기를 충분하게 연습하면서 속도와 정확성을 올릴 수 있는 단계
1권~4권은 가르기와 모으기를 연습한 후 덧셈, 뺄셈의 개념으로 확장하여 연습
5권은 받아올림, 6권은 받아내림의 원리를 아주 쉽게 풀어놓아서 받아올림과 받아내림을 처음 배우는 아이들에게 강추!!

7·8세 단계 구성과 특징

1~4권은 가르기 모으기를 기본으로 받아올림, 받아내림 없는 한 자리 덧셈, 뺄셈을 연습하고, 5, 6권에서 각각 받아올림, 받아내림이 있는 한 자리 덧셈, 뺄셈의 원리를 배웁니다. 초등 입학을 준비할 수 있는 교재로 교과서로는 초등 1학년 1학기 내용을 주로 담고 있습니다.

원리

구체물을 그림으로 보고, 동그라미를 그리는 등 원리를 직관적으로 이해하고 쉽게 공부할 수 있도록 하였습니다.

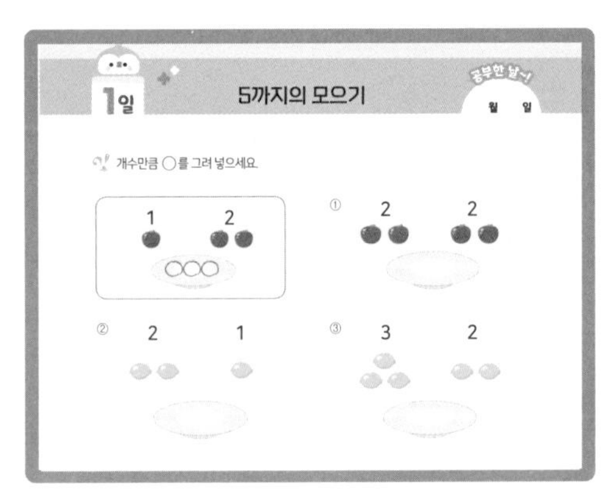

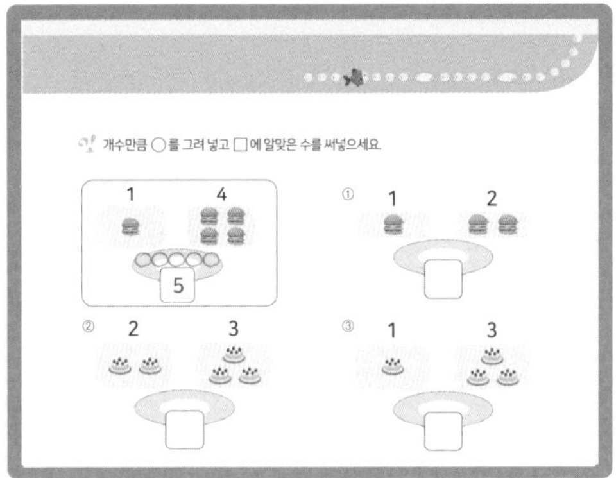

연습

학습 순서는 원리를 생각하며 연습할 수 있도록 배치하였고, 이해를 도울 수 있는 그림과 함께 연습한 후, 숫자와 기호로 된 문제도 꾸준히 반복할 수 있도록 하였습니다.

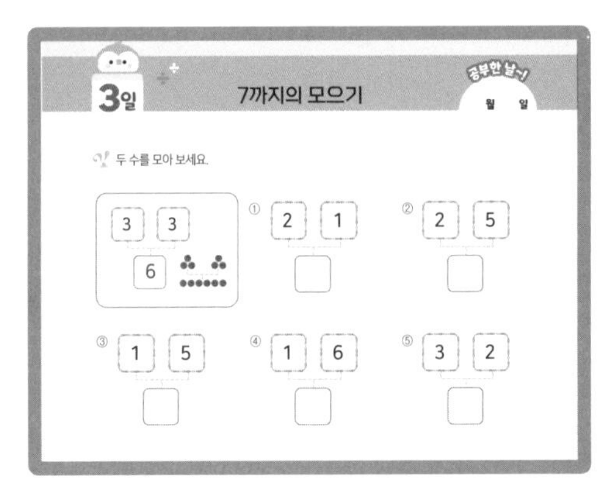

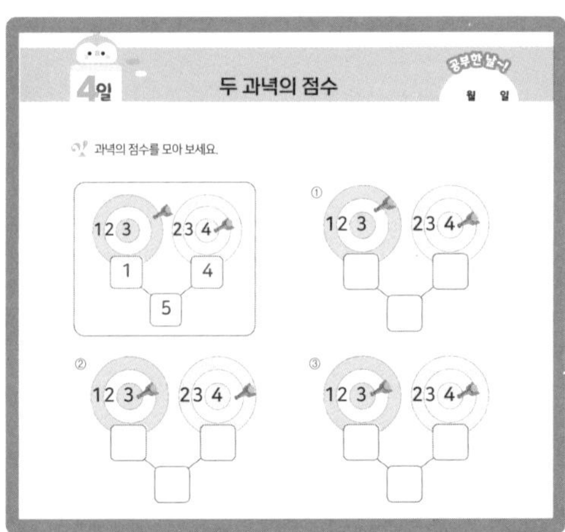

사고력 연산

수학은 규칙의 학문입니다. 사고력 연산의 시작은 새로운 규칙을 이해하고 적용하는 것으로부터 시작합니다. 연산의 개념을 기본으로 사고를 확장할 수 있도록 하였습니다.

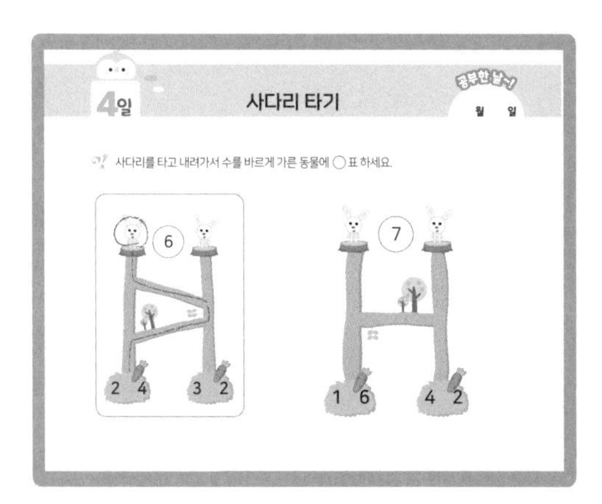

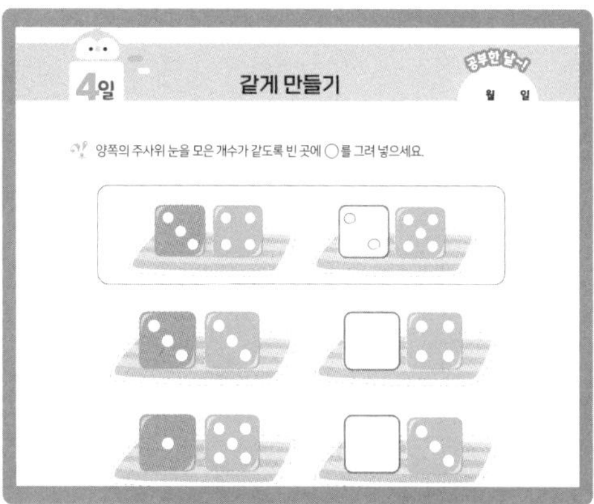

도전! 계산왕

주제가 구분되는 두 개의 단원은 정확성과 빠른 계산을 위한 집중 연습으로 주제를 마무리 합니다.

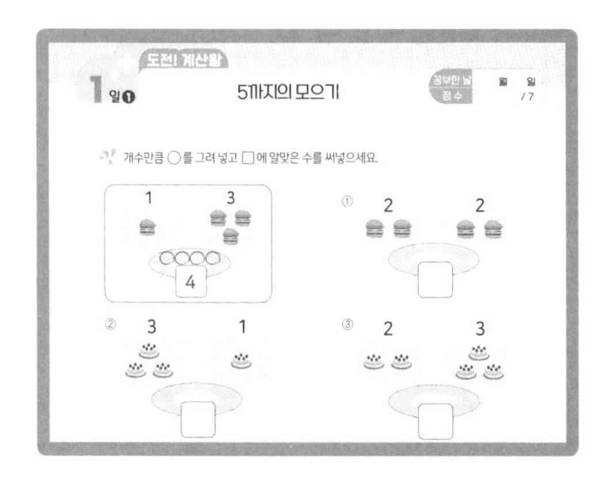

성취도 평가

개념의 이해와 연산의 수행에 부족한 부분은 없는지 성취도 평가를 통해 확인합니다.

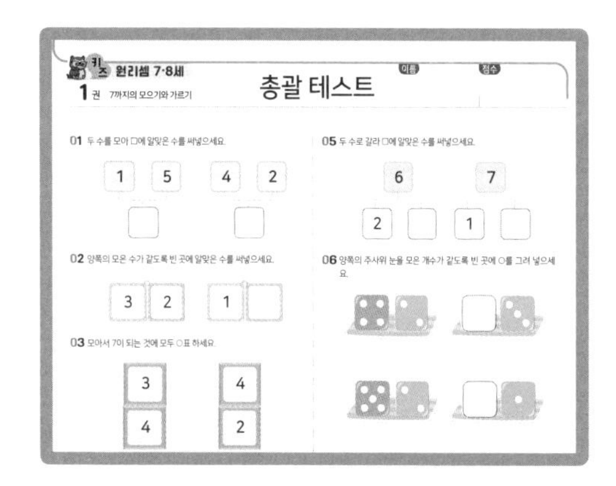

책의 사이사이에 학생의 학습을 돕기 위한 저자의 내용을 잘 이용하세요.

단원의 학습 내용과 방향

한 주차가 시작되는 쪽의 아래에 그 단원의 학습 내용과 어떤 방향으로 공부하는지를 설명해 놓았습니다.
학부모님이나 학생이 단원을 시작하기 전에 가볍게 읽어 보고 공부하도록 해 주세요.

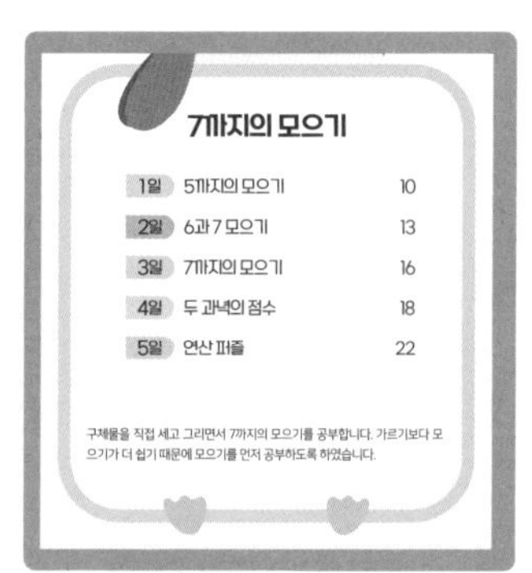

이해를 돕는 저자의 동영상 강의

공부를 시작하기 전에 표지의 QR코드를 확인하세요. 책의 학습 흐름과 목표, 그리고 그동안 원리셈을 먼저 공부한 아이들이 겪은 어려움에 대한 대처 방안 등을 설명해 줍니다.

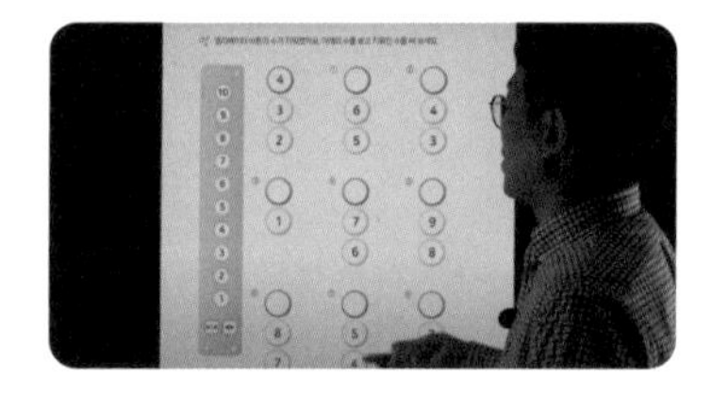

학습 Tip

간략한 도움글은 각 쪽의 아래에 있습니다.

천종현수학연구소 네이버 카페와 홈페이지를 활용하세요.

카페와 홈페이지에는 추가 문제 자료가 있고, 연산 외에서 수학 학습에 어려움을 상담 받을 수 있습니다.

네이버에서 천종현수학연구소를 검색하세요.

십 더하기 몇

1일 십 더하기 몇 10

2일 막대 더하기 12

3일 □ 구하기 14

4일 연산 퍼즐 17

5일 문장제 19

10 더하기 몇을 계산합니다. 계산 과정이 어렵진 않지만 받아올림이 있는 두 자리 수의 덧셈에서 반드시 필요한 연산 과정입니다.

십 더하기 몇

□에 알맞은 수를 써넣으세요.

10 + 1 = 11

① 

10 + 2 = □

② 

10 + 3 = □

③ 

10 + 4 = □

④ 

10 + 5 = □

⑤ 

10 + 6 = □

⑥ 

10 + 7 = □

⑦ 

10 + 8 = □

⑧ 

10 + 9 = □

09 □에 알맞은 수를 써넣으세요.

15 − □ = 6

11 − □ = 6

10 가로와 세로에 쓰여 있는 수의 차를 빈 곳에 써넣으세요.

−	11	12	13
6			

−	13	14	15
9			

11 □에 알맞은 수를 써넣으세요.

11 − □ = 10

19 − □ = 10

12 문제를 읽고 알맞은 식과 답을 써 보세요.

버스에 14명이 타고 있다가 정류장에서 9명이 내렸습니다. 버스에 남아 있는 사람은 몇 명일까요?

식 : ____________________

답 : ______ 명

13 □에 알맞은 수를 써넣으세요.

□ − 5 = 6

□ − 8 = 9

14 아래 두 수의 차가 바로 위의 수가 되도록 빈 곳에 알맞은 수를 써넣으세요.

15 □에 알맞은 수를 써넣으세요.

10 − 9 + 7 = □

10 − 4 + 3 = □

16 문제를 읽고 알맞은 식과 답을 써 보세요.

수학 문제를 11문제 풀었는데 3문제를 틀렸습니다. 맞은 문제는 몇 문제일까요?

식 : ____________________

답 : ______ 문제

총괄 테스트

이름 점수

01 □에 알맞은 수를 써넣으세요.

$17 - \square = 10$

$14 - \square = 10$

02 차가 ◇ 안의 수가 되는 두 수를 찾아 선으로 이어 보세요.

11 •	• 7
13 •	• 14
8 •	• 5

03 □에 알맞은 수를 써넣으세요.

$14 - 9 = \square$

$11 - 8 = \square$

04 문제를 읽고 알맞은 식과 답을 써 보세요.

과학실에 15명의 학생들이 있었는데 중간에 7명이 야외에서의 과학 실험을 위해 과학실을 나갔습니다. 과학실에 남아 있는 학생은 몇 명일까요?

식 : ____________________

답 : ______ 명

05 □에 알맞은 수를 써넣으세요.

$\square - 9 = 10$

$\square - 6 = 10$

06 빈 곳에 알맞은 수를 써넣으세요.

16	
	7

13	
5	

07 □에 알맞은 수를 써넣으세요.

$10 - 7 + 4 = \square$

$10 - 5 + 2 = \square$

08 문제를 읽고 알맞은 식과 답을 써 보세요.

민정이는 초콜릿 12개를 가지고 있다가 친구에게 8개를 주었습니다. 민정이에게 남아 있는 초콜릿은 몇 개일까요?

식 : ____________________

답 : ______ 개

□에 알맞은 수를 써넣으세요.

$10 + 1 = \boxed{11}$

① $4 + 10 = \square$

② $10 + 6 = \square$

③ $6 + 10 = \square$

④ $10 + 5 = \square$

⑤ $7 + 10 = \square$

⑥ $10 + 2 = \square$

⑦ $2 + 10 = \square$

⑧ $10 + 8 = \square$

⑨ $3 + 10 = \square$

⑩ $10 + 7 = \square$

⑪ $9 + 10 = \square$

⑫ $10 + 4 = \square$

⑬ $5 + 10 = \square$

막대 더하기

두 막대의 수를 더해서 □에 써넣으세요.

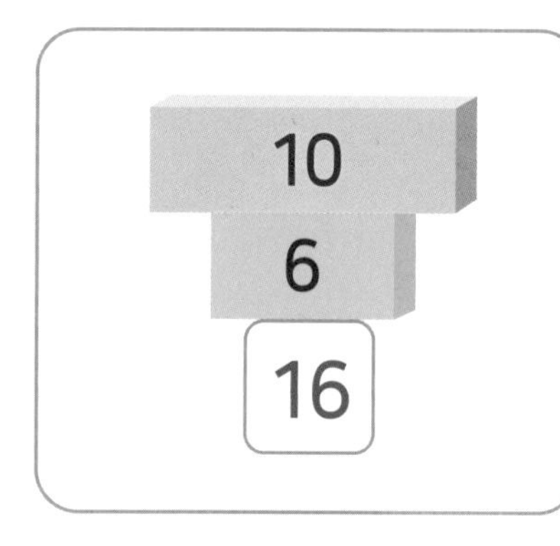

① 7 / 10 / □

② 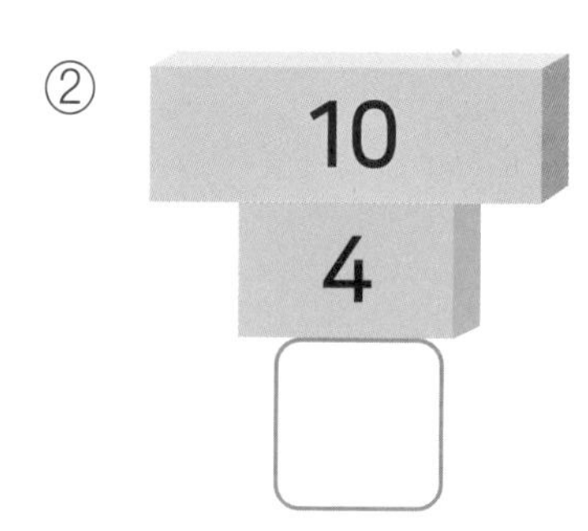

③ 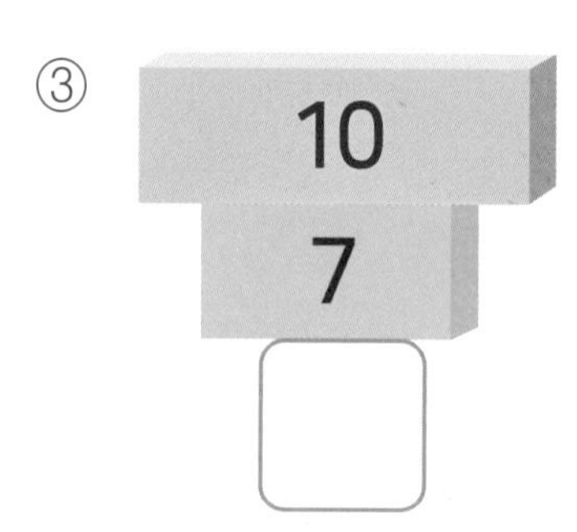

④ 9 / 10 / □

⑤ 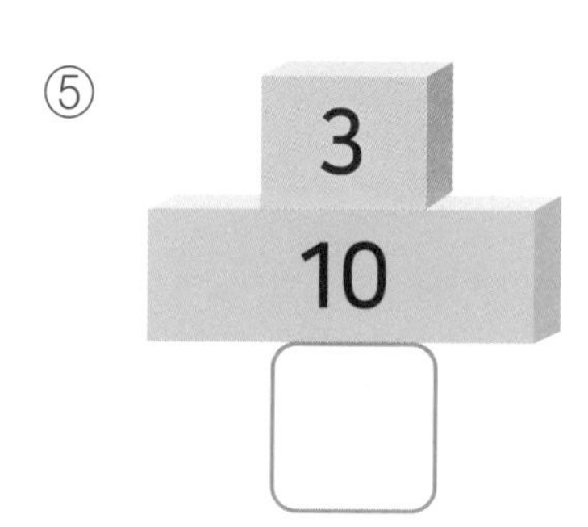

⑥ 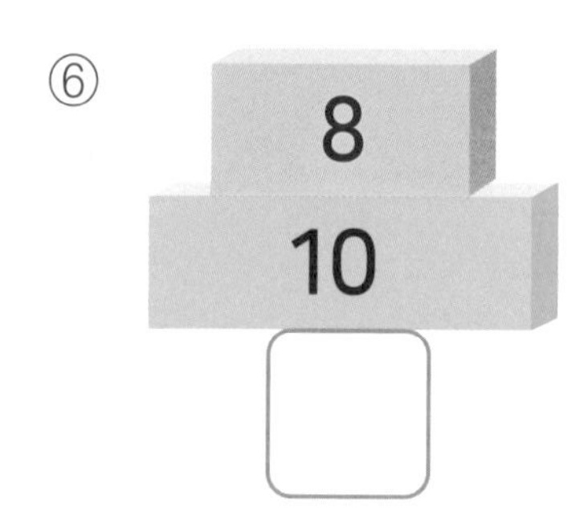

⑦ 10 / 5 / □

⑧ 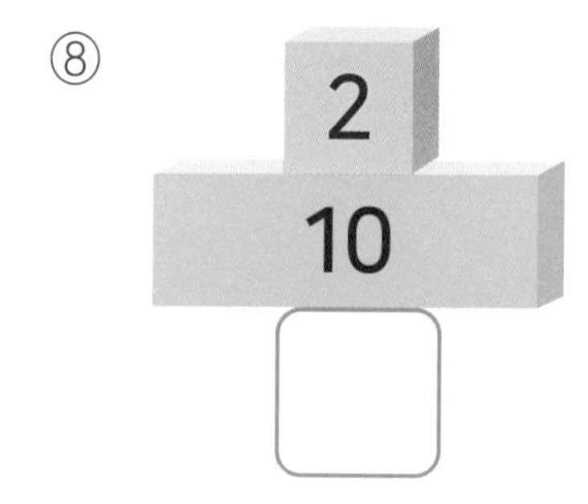

⑨ 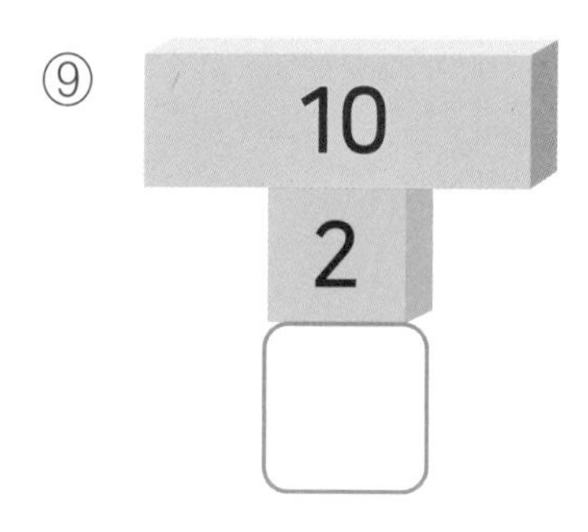

⑩ 10 / 8 / □

⑪ 6 / 10 / □

두 막대의 수를 더해서 □에 써넣으세요.

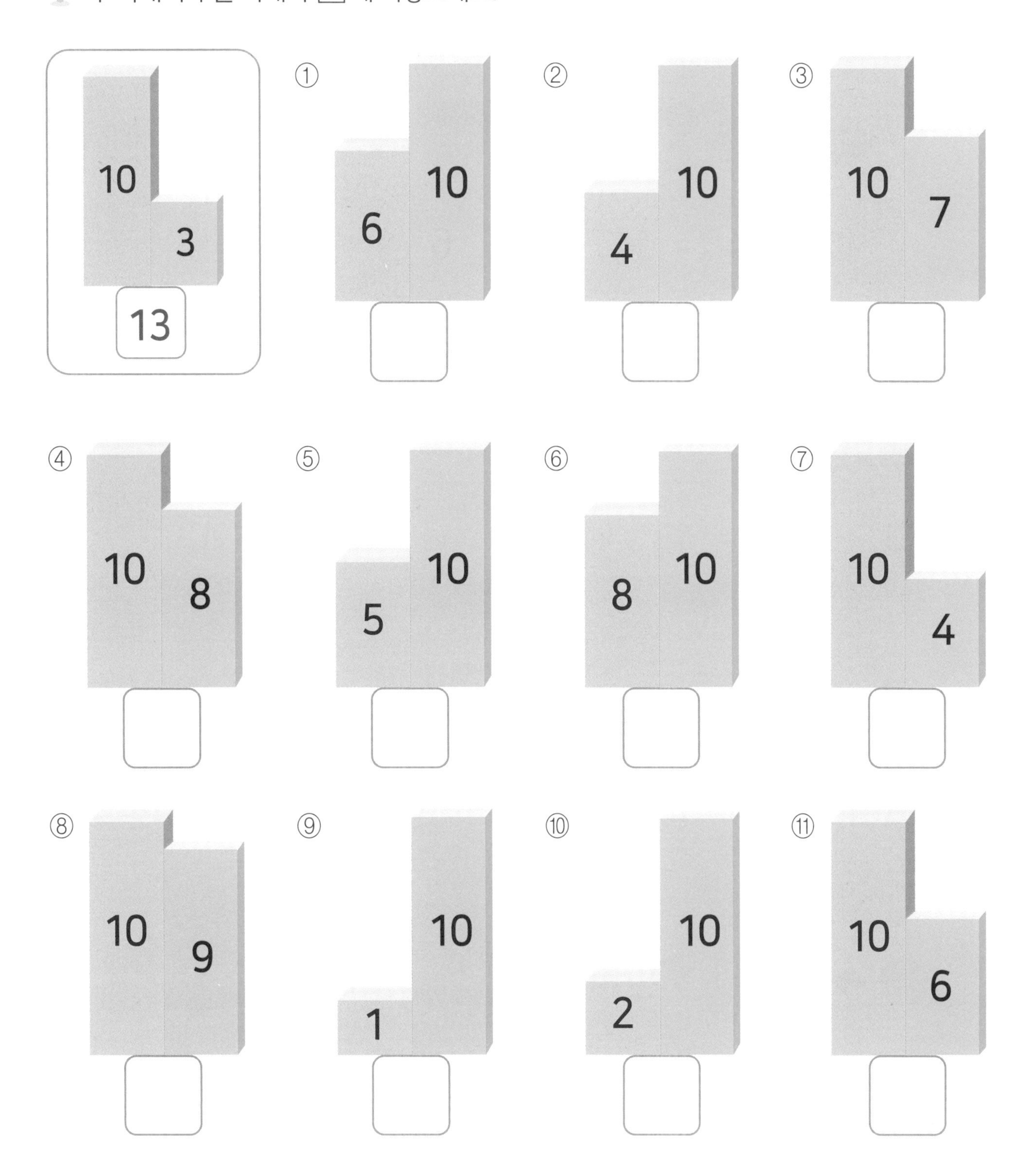

□ 구하기

□에 알맞은 수를 써넣으세요.

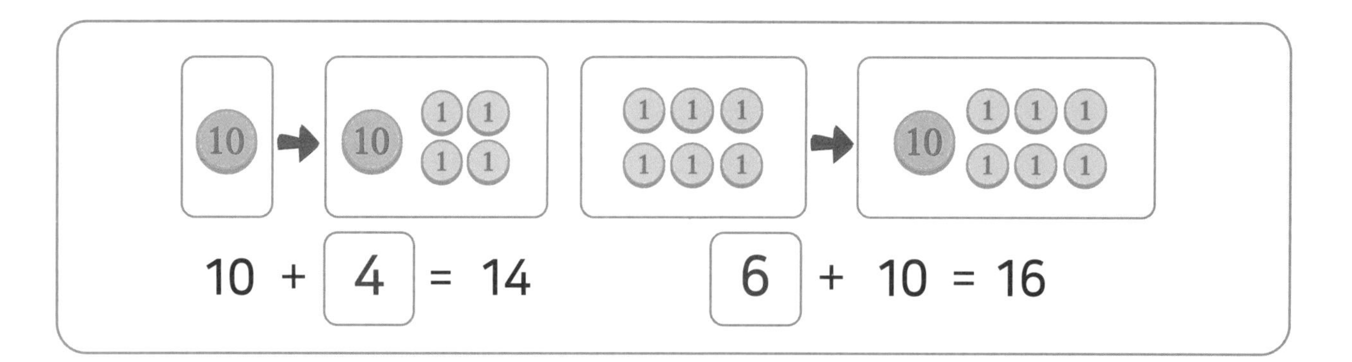

10 + 4 = 14

6 + 10 = 16

①

10 + □ = 13

②

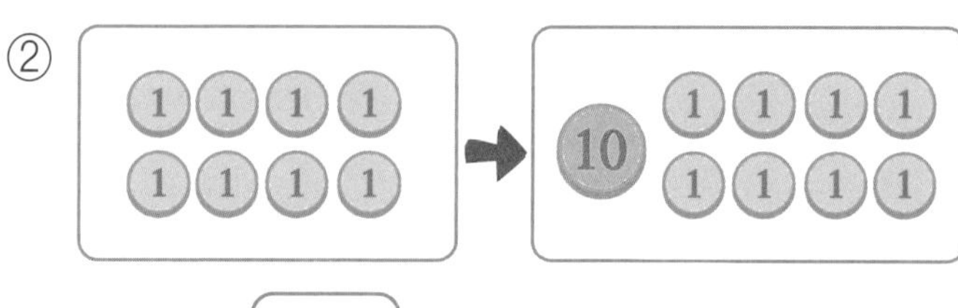

□ + 10 = 18

③

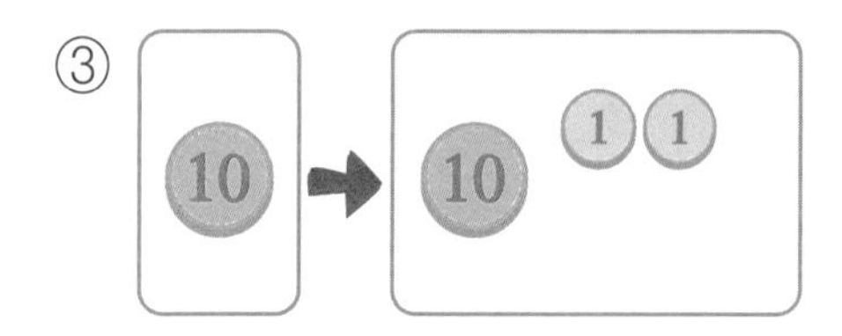

10 + □ = 12

④

□ + 10 = 17

⑤

10 + □ = 15

⑥

□ + 10 = 19

빈 곳에 알맞은 수를 써넣으세요.

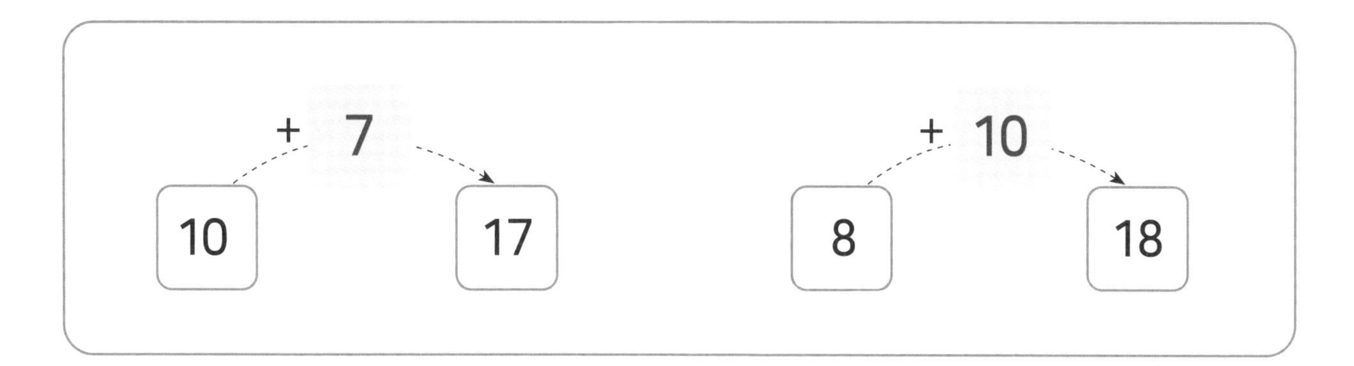

①

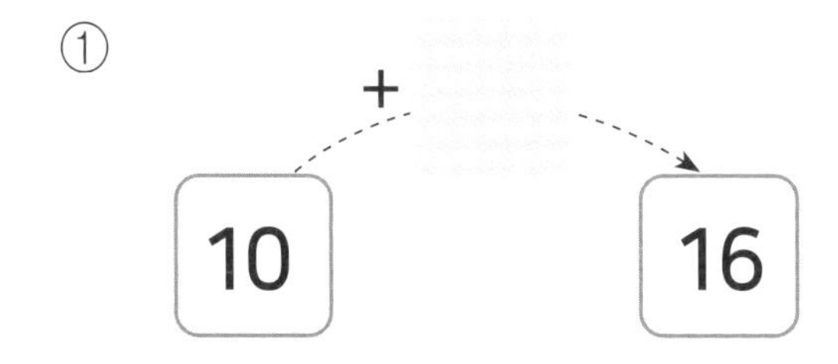

②

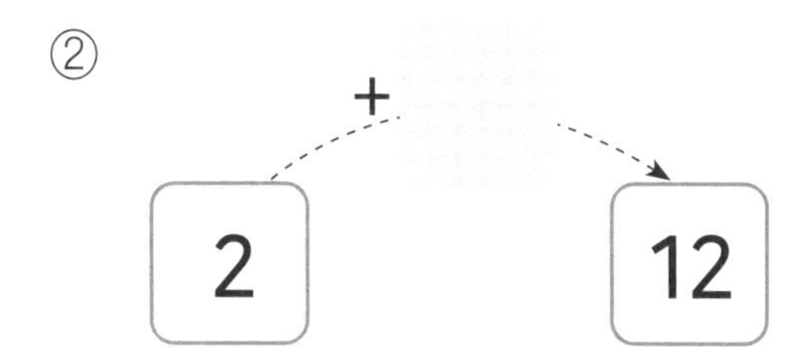

③

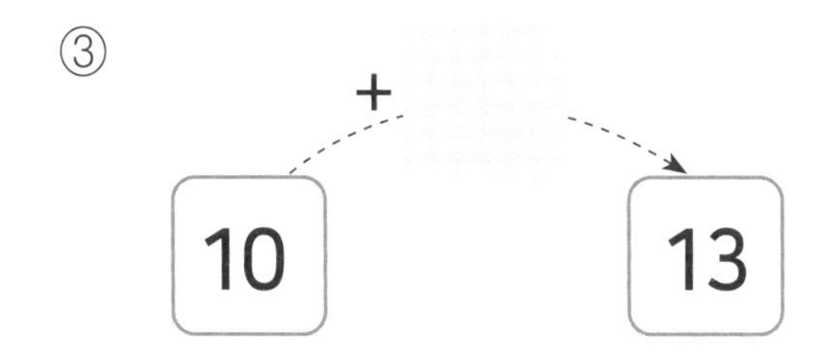

④

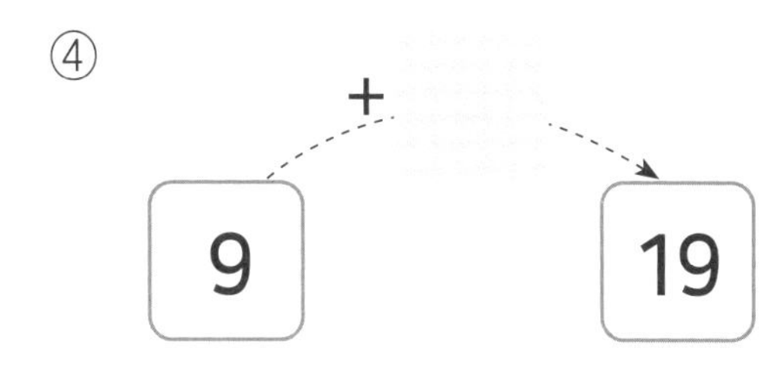

⑤

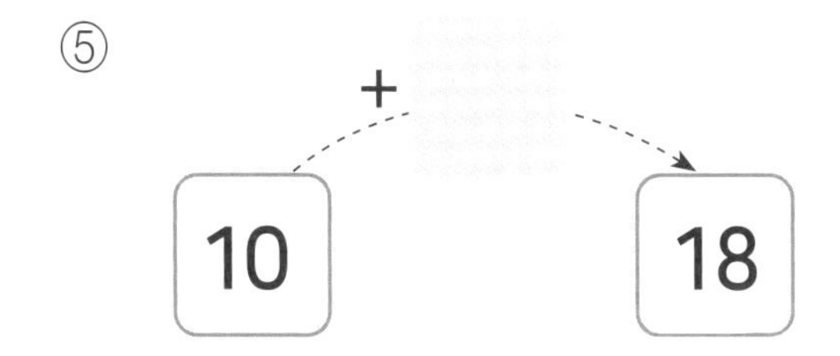

⑥

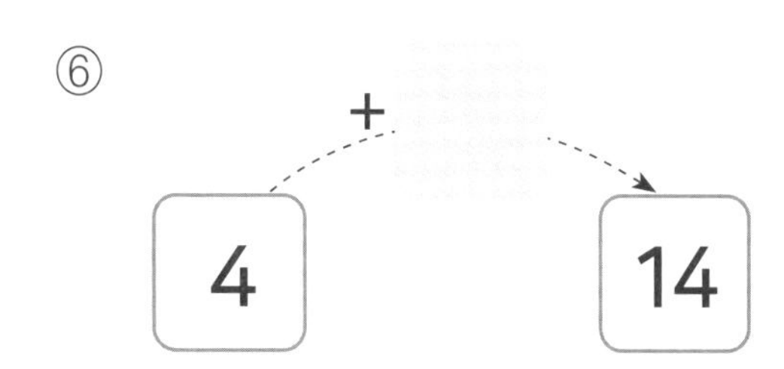

□에 알맞은 수를 써넣으세요.

10 + [5] = 15　　　[2] + 10 = 12

① 10 + □ = 17　　　② □ + 10 = 19

③ 10 + □ = 12　　　④ □ + 10 = 14

⑤ 10 + □ = 16　　　⑥ □ + 10 = 15

⑦ 10 + □ = 13　　　⑧ □ + 10 = 18

⑨ 10 + □ = 19　　　⑩ □ + 10 = 16

⑪ 10 + □ = 11　　　⑫ □ + 10 = 17

09 □에 알맞은 수를 써넣으세요.

15 − □ = 6

11 − □ = 6

10 가로와 세로에 쓰여 있는 수의 차를 빈 곳에 써넣으세요.

−	11	12	13
6			

−	13	14	15
9			

11 □에 알맞은 수를 써넣으세요.

11 − □ = 10

19 − □ = 10

12 문제를 읽고 알맞은 식과 답을 써 보세요.

버스에 14명이 타고 있다가 정류장에서 9명이 내렸습니다. 버스에 남아 있는 사람은 몇 명일까요?

식 : ______________________

답 : ______ 명

13 □에 알맞은 수를 써넣으세요.

□ − 5 = 6

□ − 8 = 9

14 아래 두 수의 차가 바로 위의 수가 되도록 빈 곳에 알맞은 수를 써넣으세요.

15 □에 알맞은 수를 써넣으세요.

10 − 9 + 7 = □

10 − 4 + 3 = □

16 문제를 읽고 알맞은 식과 답을 써 보세요.

수학 문제를 11문제 풀었는데 3문제를 틀렸습니다. 맞은 문제는 몇 문제일까요?

식 : ______________________

답 : ______ 문제

총괄 테스트

이름

점수

01 □에 알맞은 수를 써넣으세요.

17 - □ = 10

14 - □ = 10

02 차가 ◇ 안의 수가 되는 두 수를 찾아 선으로 이어 보세요.

6

11 •	• 7
13 •	• 14
8 •	• 5

03 □에 알맞은 수를 써넣으세요.

14 - 9 = □

11 - 8 = □

04 문제를 읽고 알맞은 식과 답을 써 보세요.

과학실에 15명의 학생들이 있었는데 중간에 7명이 야외에서의 과학 실험을 위해 과학실을 나갔습니다. 과학실에 남아 있는 학생은 몇 명일까요?

식 :

답 : ______ 명

05 □에 알맞은 수를 써넣으세요.

□ - 9 = 10

□ - 6 = 10

06 빈 곳에 알맞은 수를 써넣으세요.

07 □에 알맞은 수를 써넣으세요.

10 - 7 + 4 = □

10 - 5 + 2 = □

08 문제를 읽고 알맞은 식과 답을 써 보세요.

민정이는 초콜릿 12개를 가지고 있다가 친구에게 8개를 주었습니다. 민정이에게 남아 있는 초콜릿은 몇 개일까요?

식 :

답 : ______ 개

연산 퍼즐

 규칙에 맞게 빈 곳에 알맞은 수를 써넣으세요.

①

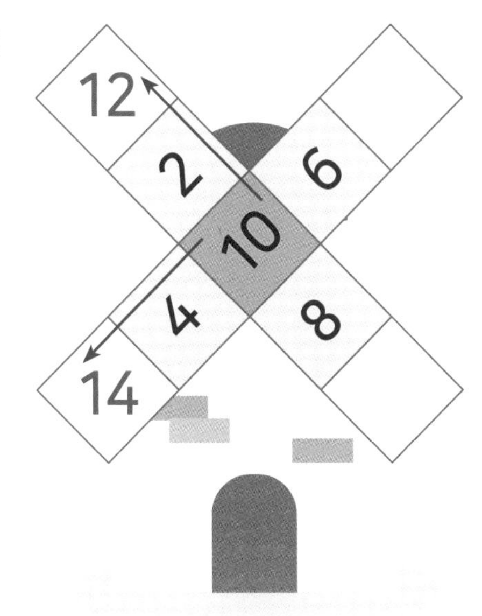

②

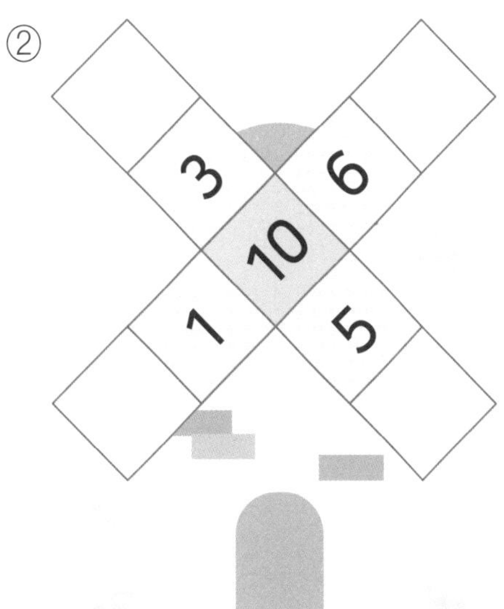

③

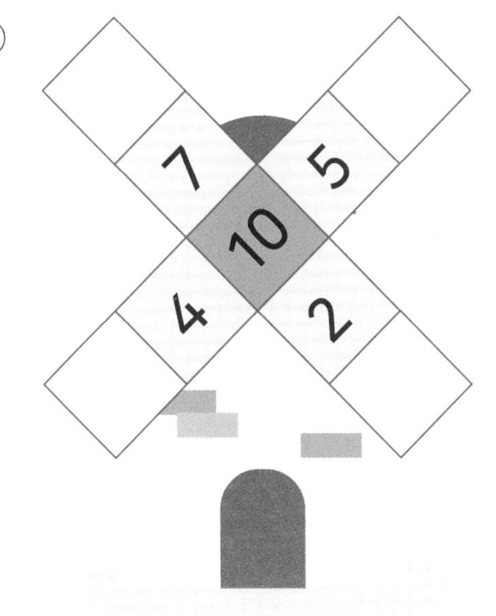

④

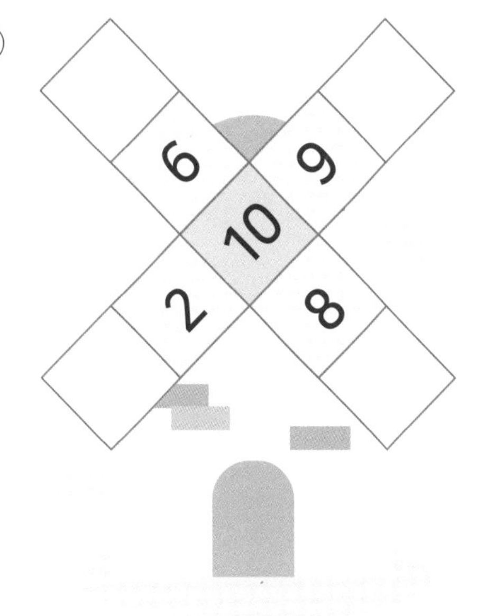

□ 안의 수가 같은 것끼리 선으로 이으세요.

10 + □ = 18 •	• 4 + 10 = □
10 + 4 = □ •	• 7 + 10 = □
□ + 10 = 16 •	• □ + 10 = 18
10 + 7 = □ •	• 10 + □ = 13
5 + 10 = □ •	• 10 + 5 = □
□ + 10 = 13 •	• 10 + □ = 16

문장제

글과 그림을 보고 물음에 알맞은 식을 세우고 답을 구하세요.

선우와 혜영이는 연필을 10자루씩 가지고 있는데 선생님께서 선우와 혜영이에게 선물로 연필을 몇 자루씩을 더 나눠주려고 합니다.

① 선우에게는 연필 4자루를 더 주려고 합니다. 선우는 연필 몇 자루를 가지게 될까요?

식 : ______________________ 답 : ______ 자루

② 혜영이에게는 연필 7자루를 더 주려고 합니다. 혜영이는 연필 몇 자루를 가지게 될까요?

식 : ______________________ 답 : ______ 자루

문제를 읽고 알맞은 식과 답을 써 보세요.

① 냉장고에 참외 10개가 있었는데 어머니께서 시장에서 참외 8개를 더 사오셔서 냉장고에 넣었습니다. 냉장고에 있는 참외는 몇 개일까요?

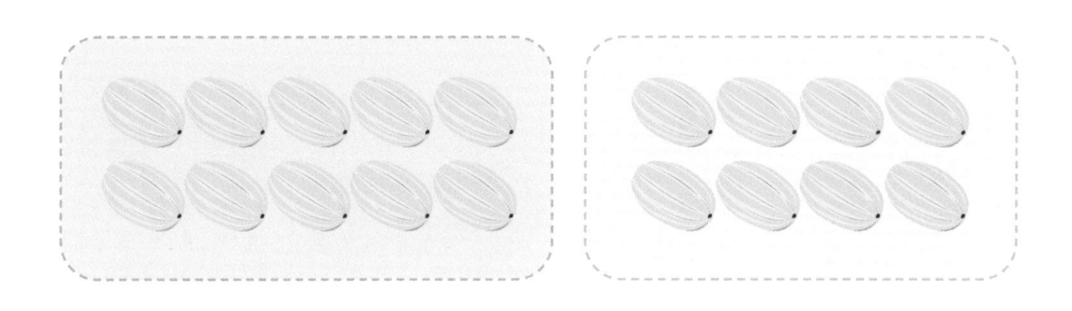

식 : ______________________ 답 : ______ 개

② 오목을 둔 후 바둑알을 바둑알 통에 넣으려고 합니다. 흰색 바둑알은 10개가 있고 검은색 바둑알은 흰색 바둑알보다 5개가 더 많습니다. 바둑알 통에 넣어야 할 검은색 바둑알은 몇 개일까요?

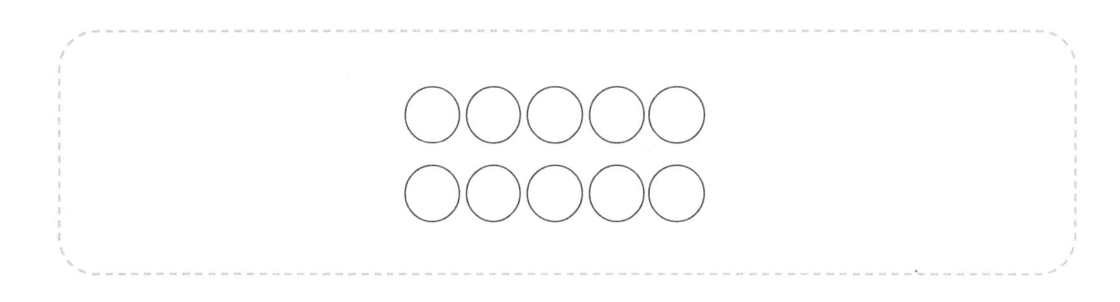

식 : ______________________ 답 : ______ 개

문제를 읽고 알맞은 식과 답을 써 보세요.

① 운동장에 7명이 농구를 하고 있다가 10명의 학생들이 축구를 하기 위해 운동장으로 나왔습니다. 운동장에서 농구와 축구를 하는 학생은 모두 몇 명일까요?

식 : ______________________ 답 : ______ 명

② 배 10개가 들어 있는 상자가 있습니다. 배 9개와 상자 한 박스에 있는 배를 모으면 모두 몇 개일까요?

식 : ______________________ 답 : ______ 개

③ 놀이터에 미끄럼틀을 타는 아이들이 그네를 타는 아이들보다 10명이 많습니다. 그네에 3명의 아이들이 놀고 있다면 미끄럼틀을 타는 아이들은 몇 명일까요?

식 : ______________________ 답 : ______ 명

문제를 읽고 알맞은 식과 답을 써 보세요.

① 10명의 남학생은 빨간색 풍선을, 6명의 여학생은 노란색 풍선을 하나씩 들고 있습니다. 가지고 있는 풍선을 동시에 모두 날린다면 날아가는 풍선은 모두 몇 개일까요?

식 : ______________________ 답 : ______ 개

② 민수는 구슬 8개를 가지고 있고 영진이는 민수보다 10개의 구슬을 더 가지고 있습니다. 영진이가 가지고 있는 구슬은 몇 개일까요?

식 : ______________________ 답 : ______ 개

③ 체육관에 있는 탁구공을 세어 보니 주황색 탁구공이 흰색 탁구공보다 5개가 더 많았습니다. 흰색 탁구공이 10개 있다면 주황색 탁구공은 몇 개 있을까요?

식 : ______________________ 답 : ______ 개

10 만들어 더하기

1일 차례대로 더하기 24

2일 10 만들어 더하기 27

3일 세 수의 계산 30

4일 연산 퍼즐 32

5일 문장제 35

더해서 10이 되는 두 수가 있는 세 수의 덧셈을 계산합니다.

차례대로 더하기

□에 알맞은 수를 써넣으세요.

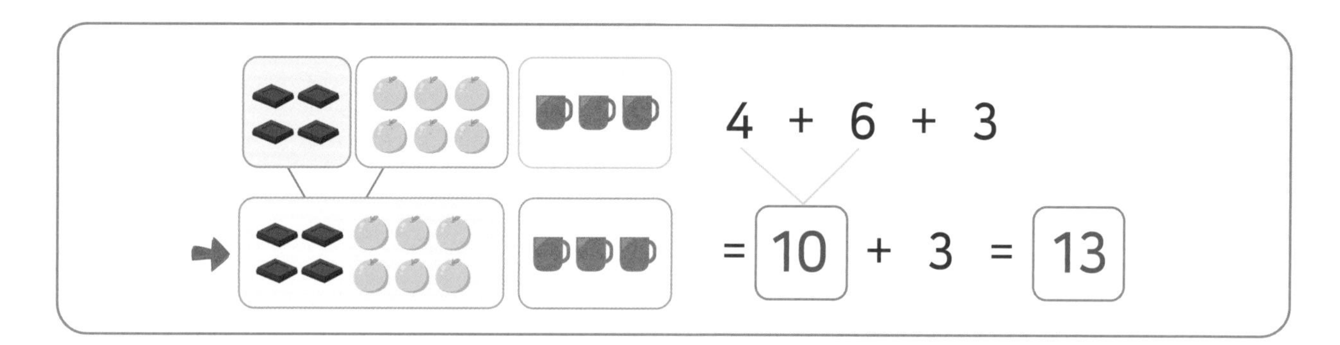

4 + 6 + 3

= 10 + 3 = 13

①

2 + 8 + 6

= □ + 6 = □

②

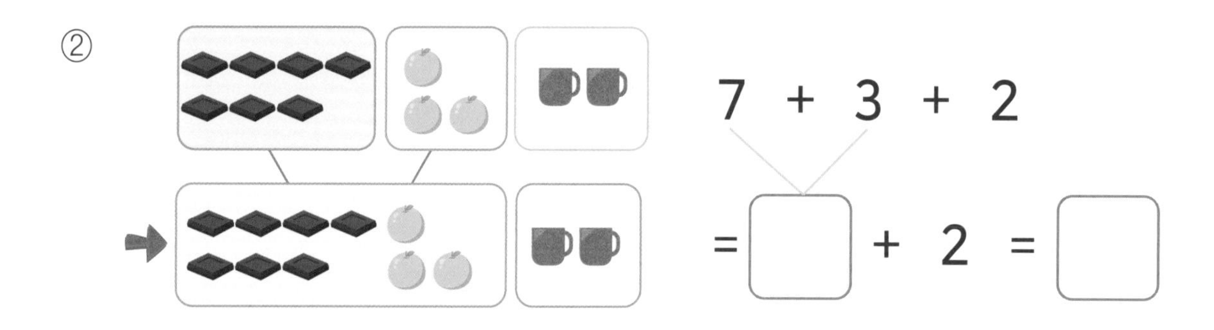

7 + 3 + 2

= □ + 2 = □

③

1 + 9 + 5

= □ + 5 = □

□에 알맞은 수를 써넣으세요.

(예시)
$3 + 7 + 6 = \boxed{10} + 6 = \boxed{16}$

① $4 + 6 + 2 = \square + 2 = \square$

② $2 + 8 + 8 = \square + 8 = \square$

③ $5 + 5 + 3 = \square + 3 = \square$

④ $6 + 4 + 4 = \square + 4 = \square$

⑤ $8 + 2 + 9 = \square + 9 = \square$

⑥ $9 + 1 + 7 = \square + 7 = \square$

⑦ $7 + 3 + 3 = \square + 3 = \square$

□에 알맞은 수를 써넣으세요.

$8 + 2 + 5 = \boxed{15}$ (8 + 2 → 10)

① $3 + 7 + 7 = \square$

② $3 + 7 + 8 = \square$

③ $6 + 4 + 1 = \square$

④ $2 + 8 + 4 = \square$

⑤ $7 + 3 + 9 = \square$

⑥ $5 + 5 + 6 = \square$

⑦ $4 + 6 + 3 = \square$

⑧ $2 + 8 + 2 = \square$

⑨ $9 + 1 + 1 = \square$

⑩ $8 + 2 + 4 = \square$

⑪ $6 + 4 + 5 = \square$

⑫ $1 + 9 + 3 = \square$

⑬ $5 + 5 + 7 = \square$

10 만들어 더하기

합이 10이 되는 두 수를 묶고 □ 에 세 수의 합을 써넣으세요.

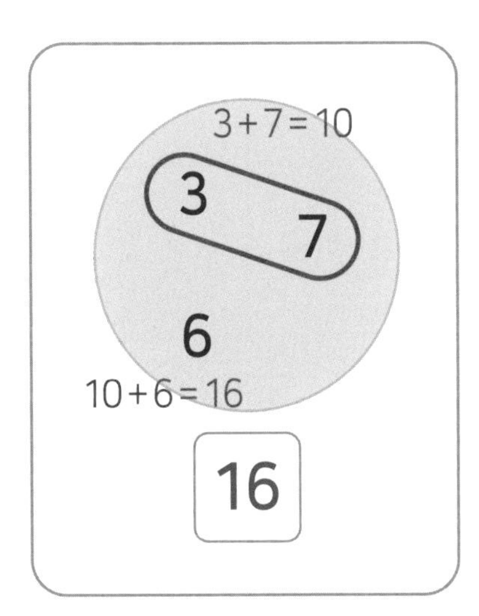

①

1
3
9

②

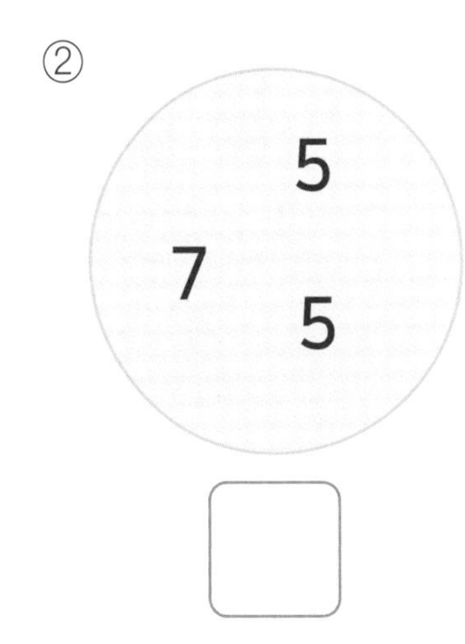

③

6
1
4

④

8
7
2

⑤

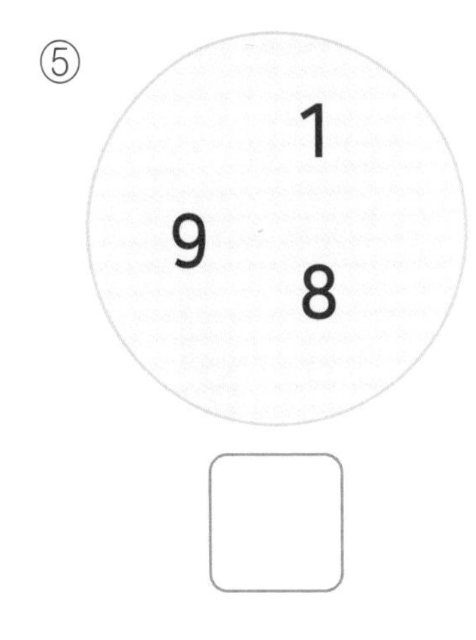

⑥

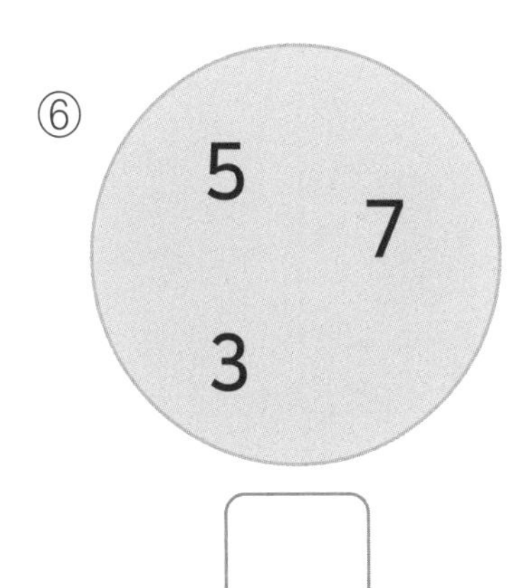

⑦

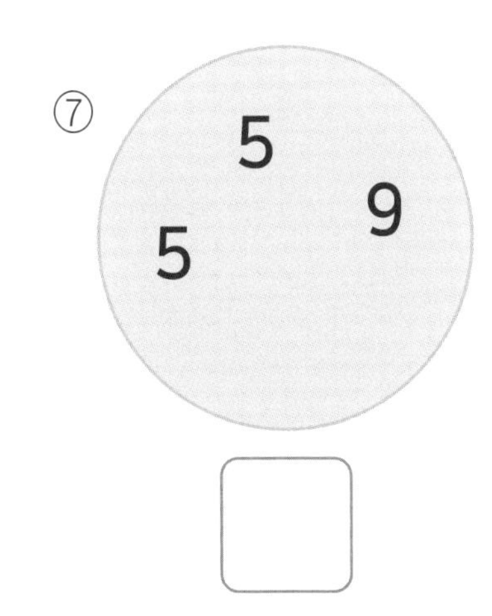

⑧

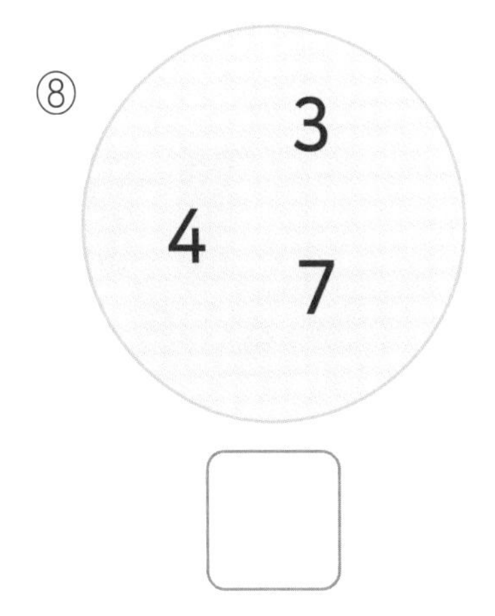

합이 10이 되는 두 수를 잇고 계산하세요.

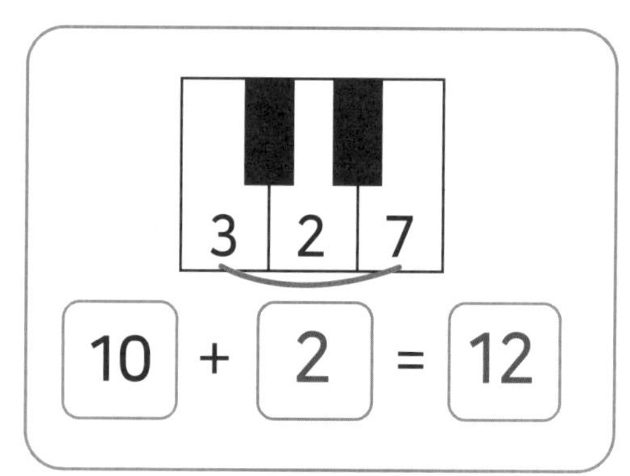

①

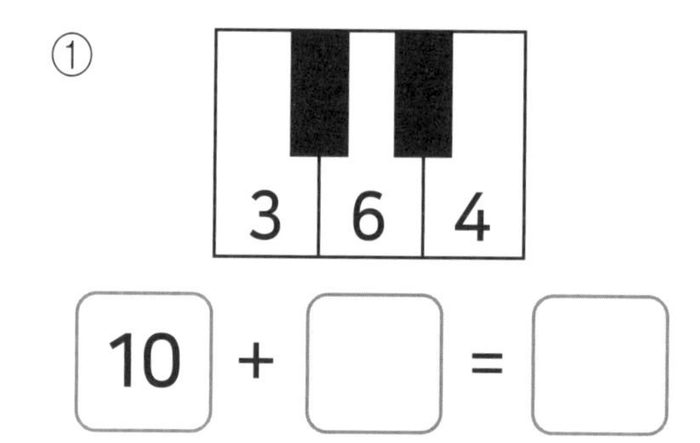

②

5 5 8

10 + ☐ = ☐

③

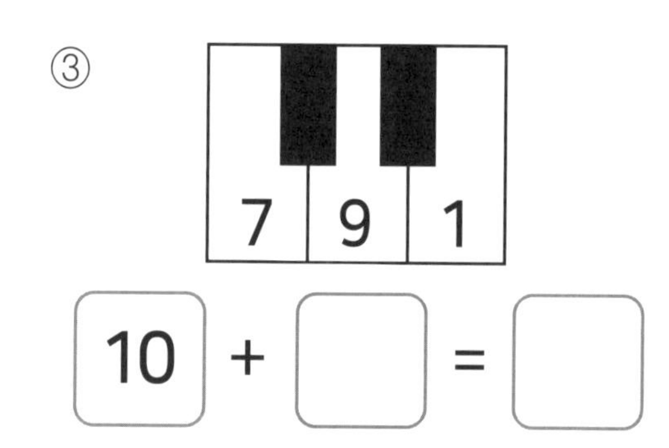

④

2 5 8

10 + ☐ = ☐

⑤

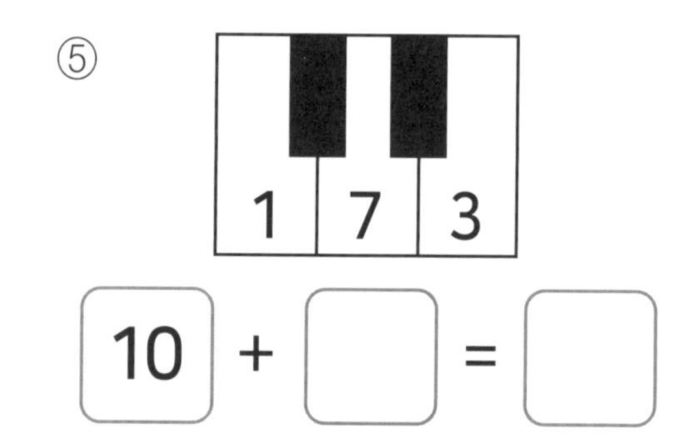

⑥

4 8 6

10 + ☐ = ☐

⑦

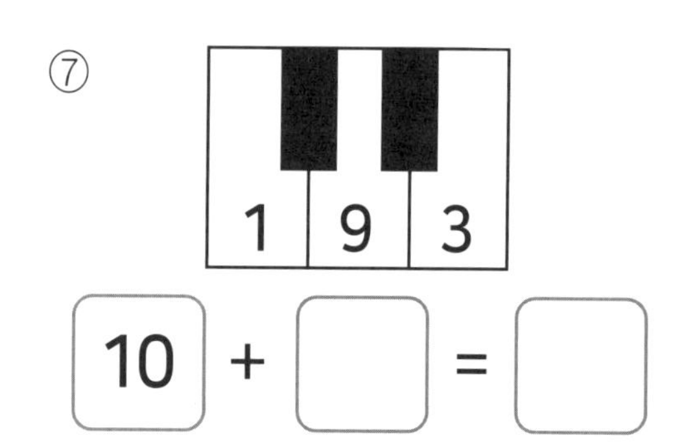

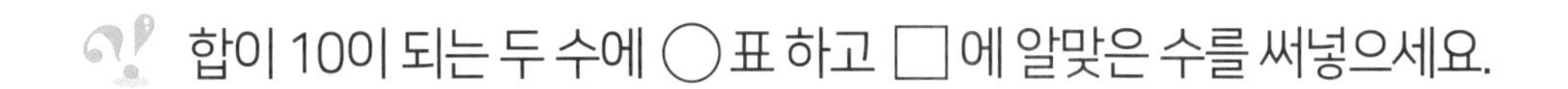

합이 10이 되는 두 수에 ◯표 하고 □에 알맞은 수를 써넣으세요.

(8) + 4 + (2) = 14

① 1 + 9 + 3 = □

② 7 + 6 + 4 = □

③ 2 + 6 + 8 = □

④ 9 + 5 + 1 = □

⑤ 4 + 8 + 2 = □

⑥ 1 + 5 + 5 = □

⑦ 6 + 9 + 4 = □

⑧ 7 + 3 + 8 = □

⑨ 9 + 1 + 4 = □

⑩ 3 + 7 + 5 = □

⑪ 5 + 7 + 5 = □

세 수의 계산

△에 있는 세 수의 합을 가운데 □에 써넣으세요.

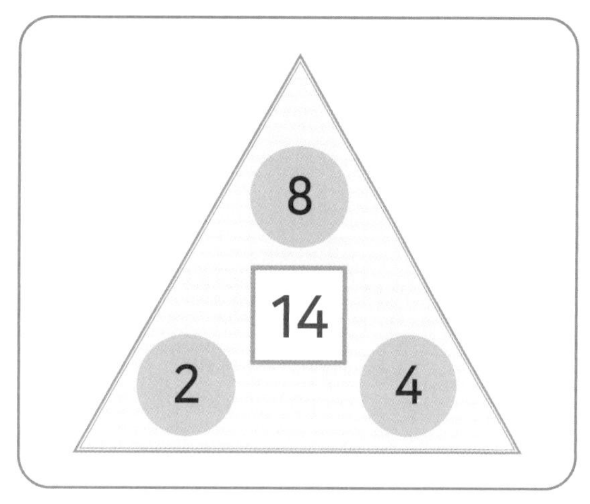

①

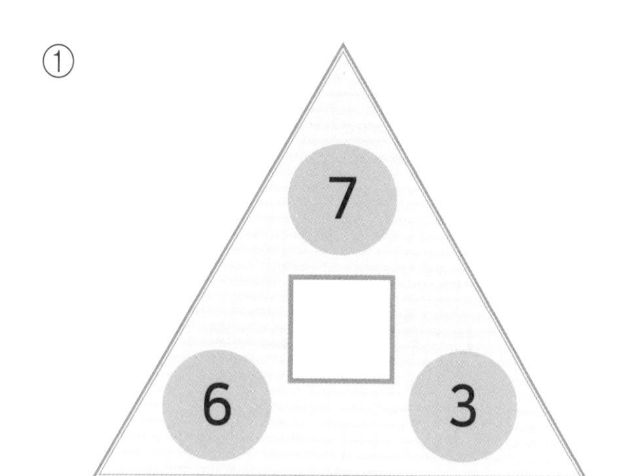

②

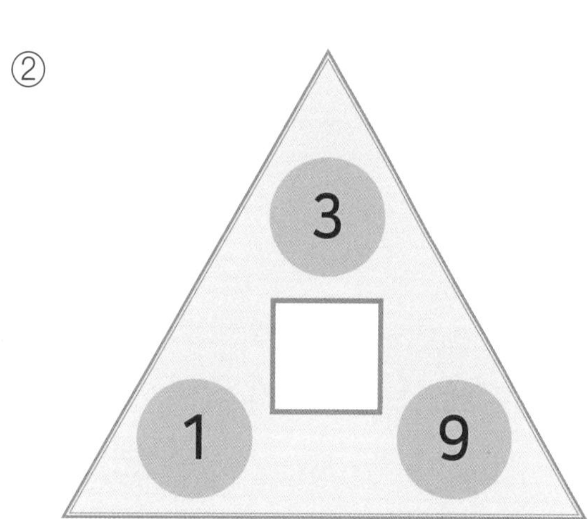

③

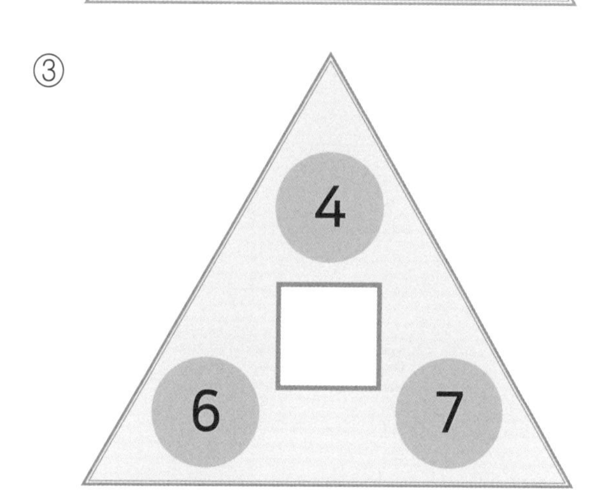

④

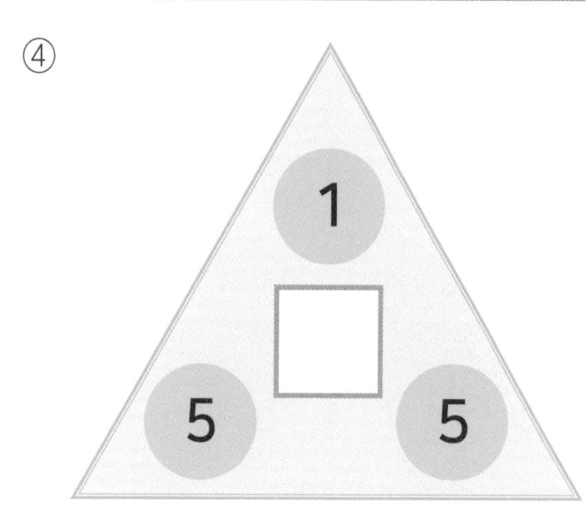

⑤

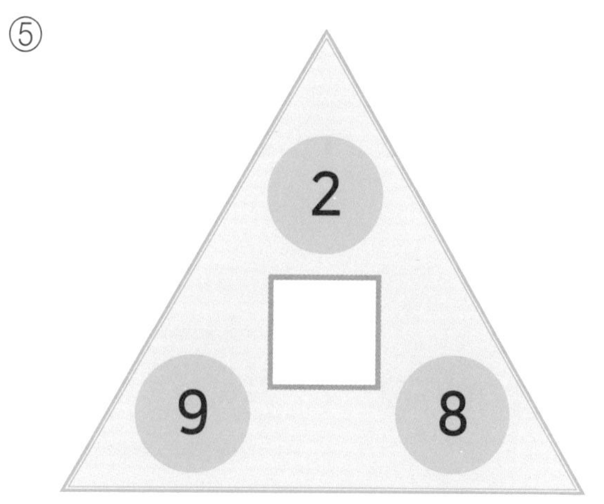

왼쪽의 수와 계산 결과가 같은 것에 ◯표 하세요.

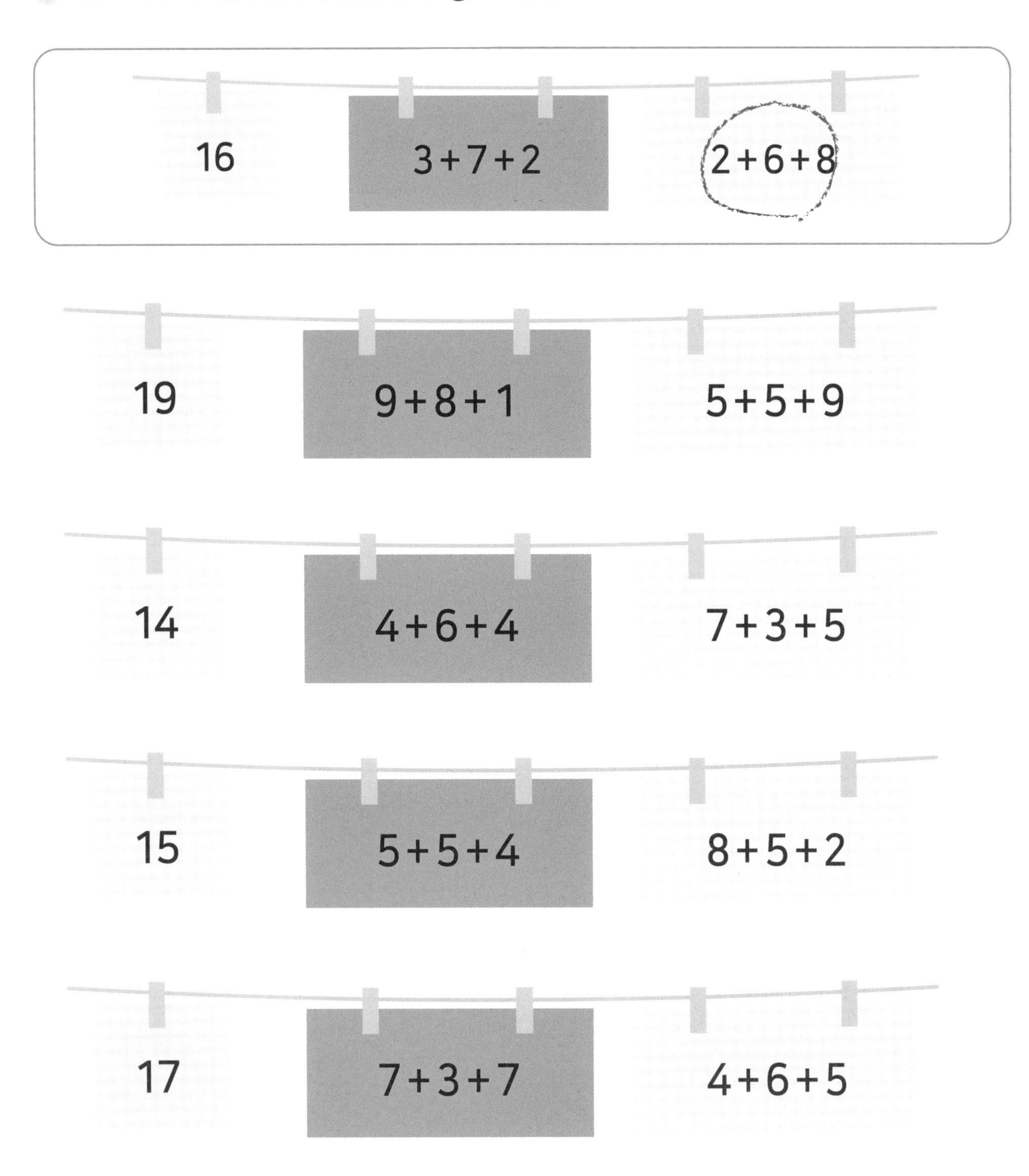

연산 퍼즐

월 일

계산 결과를 찾아 해당되는 숫자의 모양을 그려 넣으세요.

13= □ 14= ○ 16= △ 18= ◇

2+6+8 △ 2+6+8=16	9+4+1 ○ 9+4+1=14
3+5+5	8+7+3
4+6+6	4+3+7
1+8+9	8+3+2
5+4+5	6+8+2

세 수의 합을 구한 뒤 합에 해당하는 글자를 아래에서 찾아 써 보세요.

① 7 + 8 + 2 = ☐ ➜ ____________

② 1 + 9 + 9 = ☐ ➜ ____________

③ 5 + 3 + 5 = ☐ ➜ ____________

④ 5 + 6 + 4 = ☐ ➜ ____________

⑤ 2 + 8 + 6 = ☐ ➜ ____________

⑥ 7 + 3 + 1 = ☐ ➜ ____________

11	12	13	14	15	16	17	18	19
학	선	있	생	는	수	재	님	미

계산 결과에 알맞게 길을 그려 보세요.

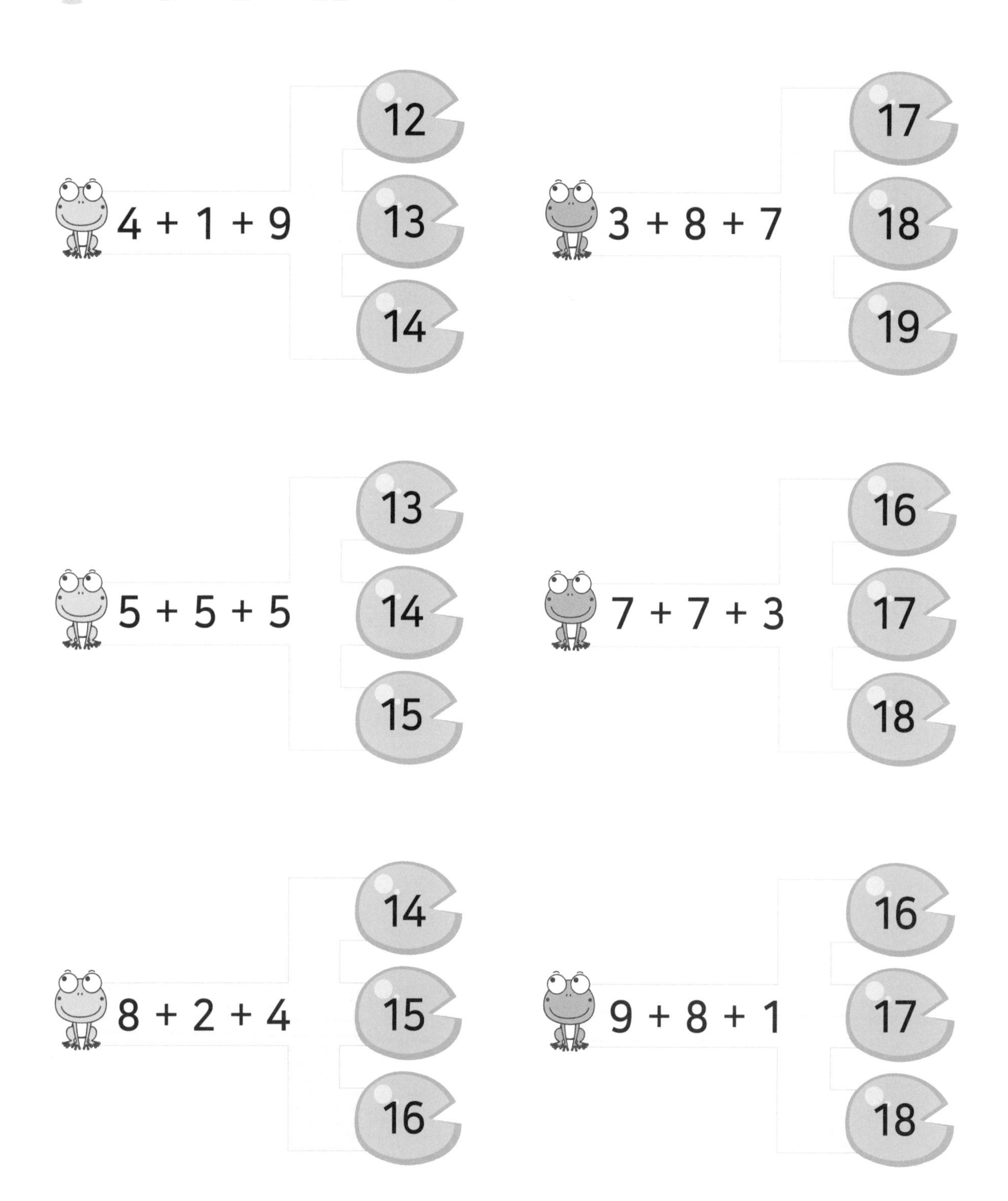

문장제

글과 그림을 보고 물음에 알맞은 식을 세우고 답을 구하세요.

빨간색 클립 6개, 파란색 클립 4개, 초록색 클립 3개, 노란색 클립 7개로 자석 놀이를 한 후 클립을 정리하려고 합니다.

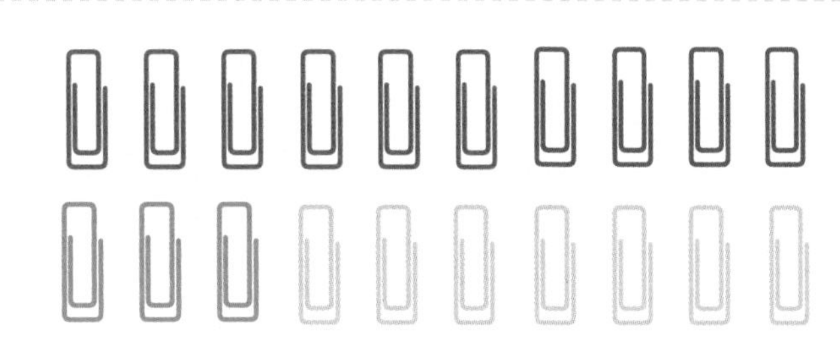

★ 빨간색 클립만 따로 정리함에 넣으려고 합니다. 책상 위에 남게 되는 클립은 모두 몇 개일까요?

식: $4+3+7=14$ 답: 14 개

① 초록색 클립만 따로 정리함에 넣으려고 합니다. 책상 위에 남게 되는 클립은 모두 몇 개일까요?

식: ________ 답: ____ 개

문제를 읽고 알맞은 식과 답을 써 보세요.

① 상자에 흰색 탁구공 7개와 주황색 탁구공 3개가 있는데 5개의 탁구공을 더 넣었습니다. 상자 안에 있는 탁구공은 모두 몇 개일까요?

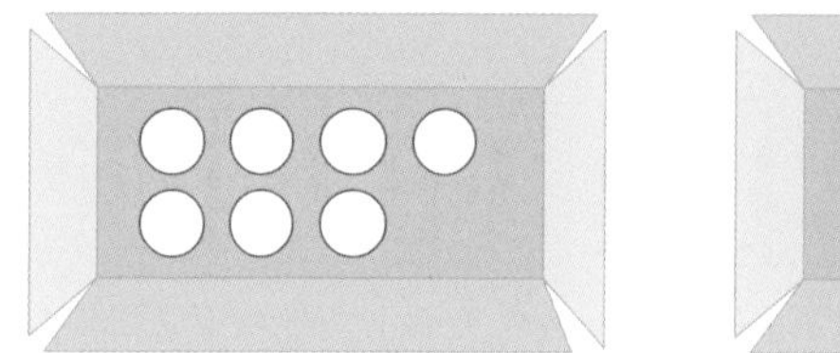

식 : ______________________ 답 : ______ 개

② 민수와 철희는 봉사활동을 끝내고 각각 초콜릿 5개씩을 받았는데 초콜릿이 많이 남아 두 사람이 같이 먹으라며 6개를 더 받았습니다. 두 사람이 받은 초콜릿은 모두 몇 개일까요?

식 : ______________________ 답 : ______ 개

문제를 읽고 알맞은 식과 답을 써 보세요.

① 민수는 색종이로 종이배 2개, 종이비행기 8개를 접었습니다. 4장의 색종이가 남아 있다면 처음 준비한 색종이는 모두 몇 장이었을까요?

식 : ______________________ 답 : ______ 장

② 한섭이는 놀이공원에서 줄을 서고 있는데 한섭이 앞에는 9명, 뒤에는 3명이 줄을 서고 있습니다. 줄을 서고 있는 사람은 모두 몇 명일까요?

식 : ______________________ 답 : ______ 명

③ 7명이 있던 교실에 남학생 3명과 여학생 2명이 더 들어왔습니다. 교실에 있는 사람은 모두 몇 명일까요?

식 : ______________________ 답 : ______ 명

문제를 읽고 알맞은 식과 답을 써 보세요.

① 교회에서 초, 중, 고 청소년 수련회를 가려고 합니다. 출발 버스에 초등학생 8명, 중학생 2명, 고등학생 9명이 타고 있다면 버스에 타고 있는 학생은 모두 몇 명일까요?

식 : ______________________ 답 : ______ 명

② 민수와 철희는 각각 사탕 7개씩을 가지고 있는데 영진이는 두 사람의 사탕을 합친 것보다 3개가 더 많은 사탕을 가지고 있습니다. 영진이가 가지고 있는 사탕은 몇 개일까요?

식 : ______________________ 답 : ______ 개

③ 4년 전에 영진이는 4살이었습니다. 6년 후에 영진이는 몇 살일까요?

식 : ______________________ 답 : ______ 살

수를 갈라서 더하기

1일 앞의 수를 갈라서 더하기 40

2일 뒤의 수가 큰 덧셈 43

3일 뒤의 수를 갈라서 더하기 46

4일 앞의 수가 큰 덧셈 49

5일 큰 수를 10 만들어 더하기 52

받아올림이 있는 두 수의 덧셈 방법을 알아봅니다. 일반적으로 더하는 두 수 중 작은 수를 갈라서 큰 수를 10으로 만들어 계산하는 방법을 사용합니다. 그림을 보면서 반드시 무슨 원리인지 생각해 보면서 공부합니다.

1일 앞의 수를 갈라서 더하기

□에 알맞은 수를 써넣으세요.

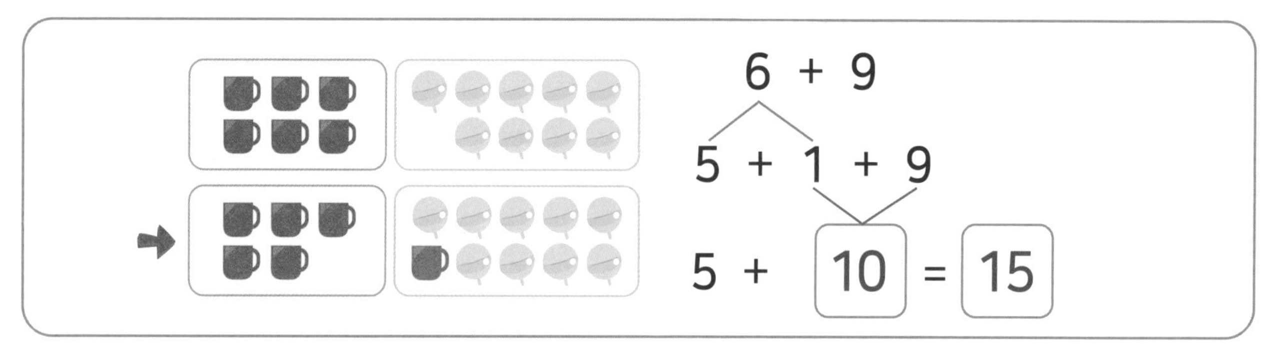

6 + 9

5 + 1 + 9

5 + 10 = 15

①

7 + 8

5 + 2 + 8

5 + □ = □

②

5 + 9

4 + 1 + 9

4 + □ = □

③

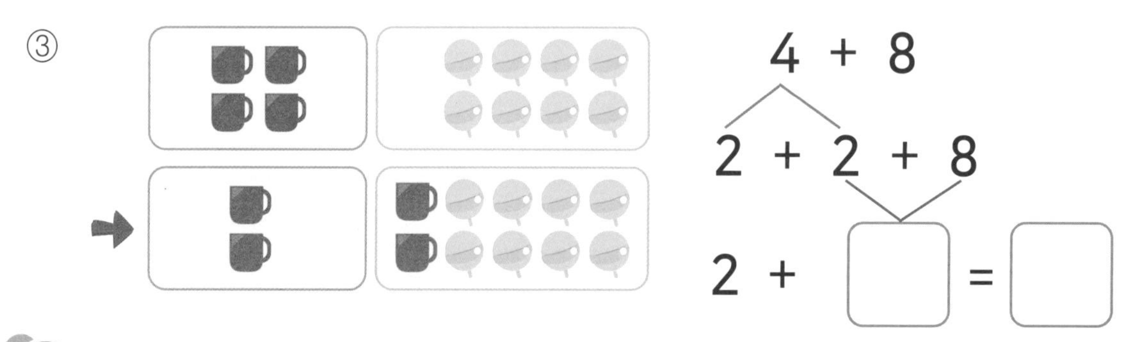

4 + 8

2 + 2 + 8

2 + □ = □

Tip 뒤의 수를 10을 만든 다음 앞의 수에서 가르고 남은 수를 더하여 계산합니다.

□에 알맞은 수를 써넣으세요.

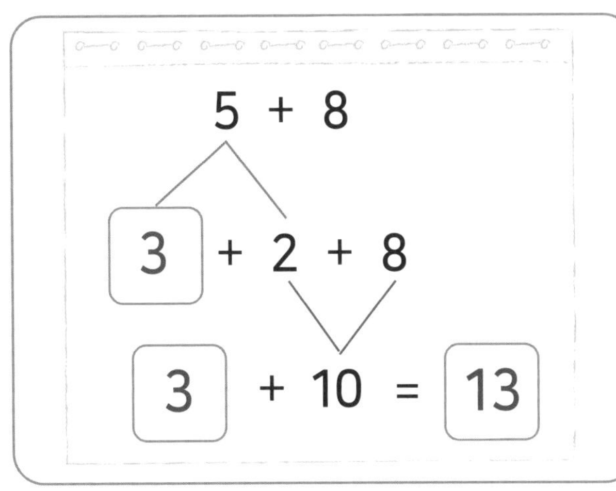

①

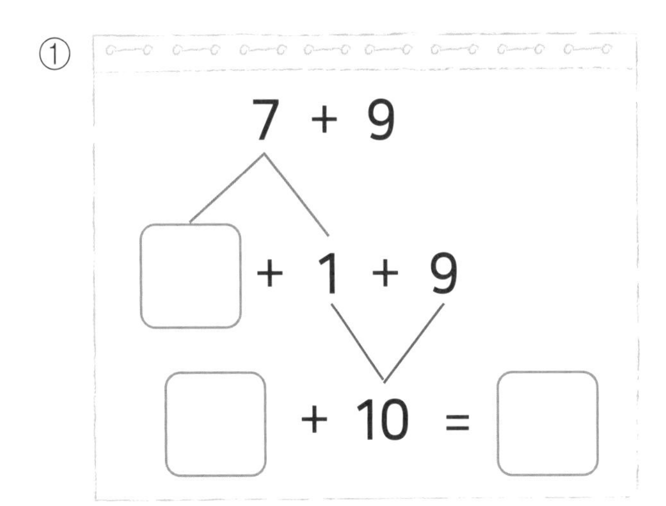

②

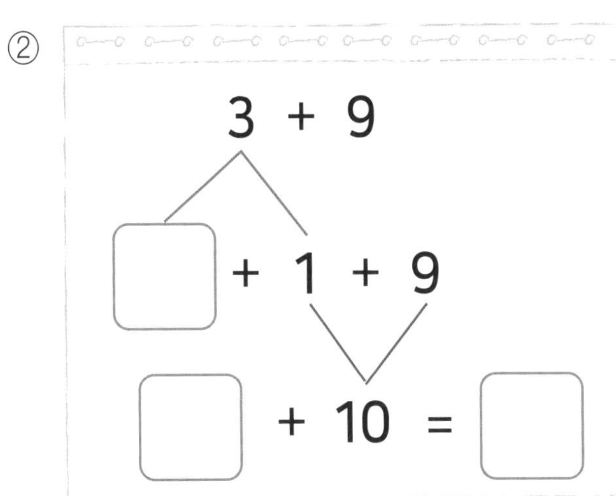

③

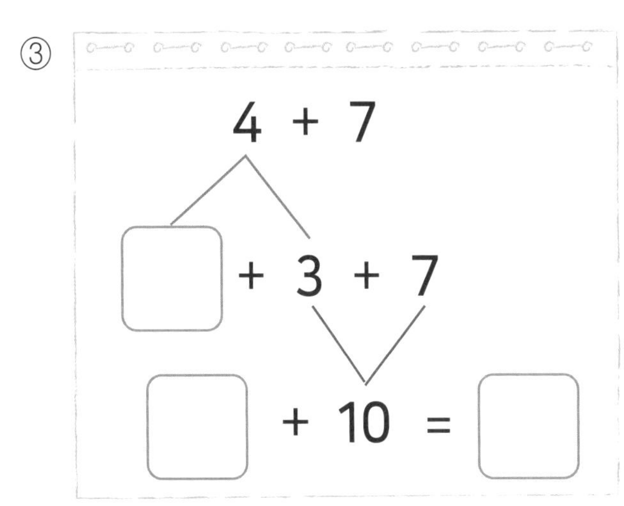

④

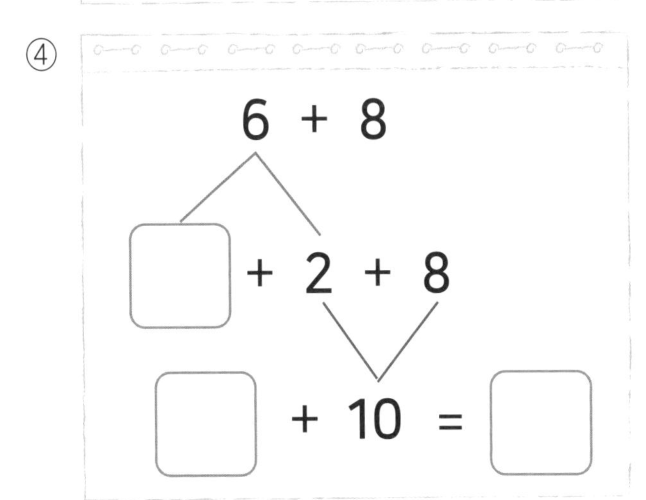

⑤

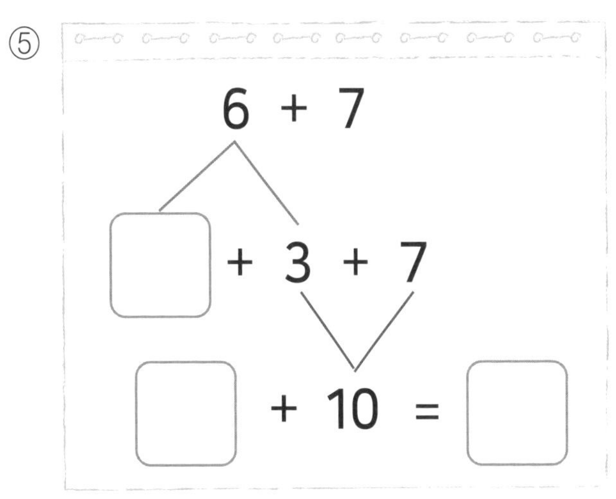

□에 알맞은 수를 써넣으세요.

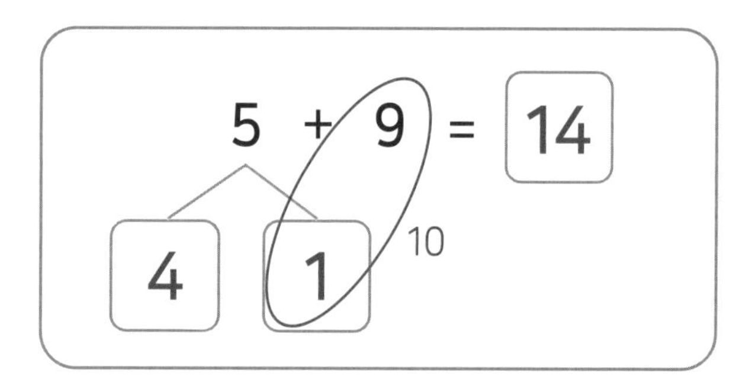

①
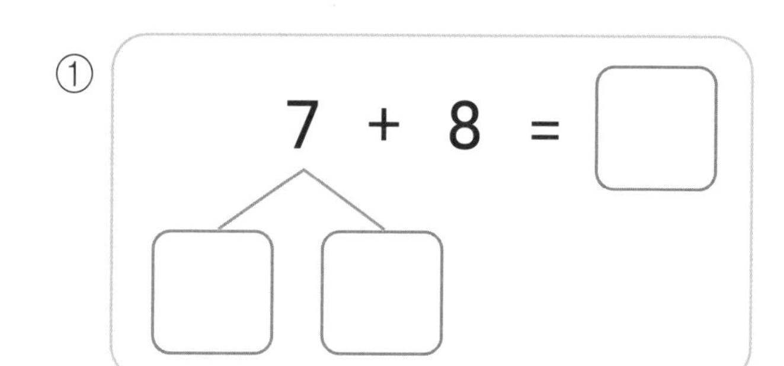

② $5 + 6 = \square$

③
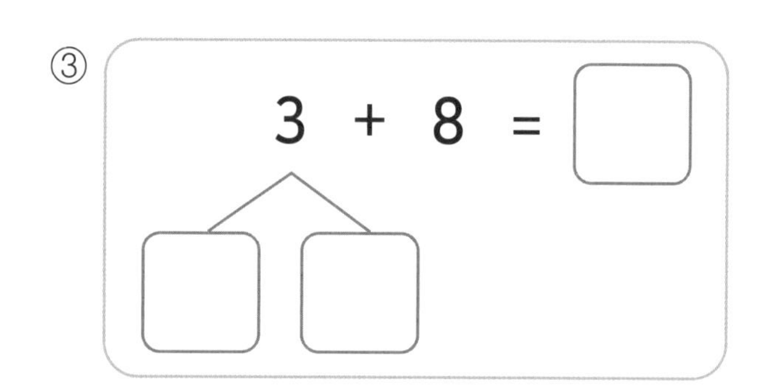

④ $5 + 7 = \square$

⑤
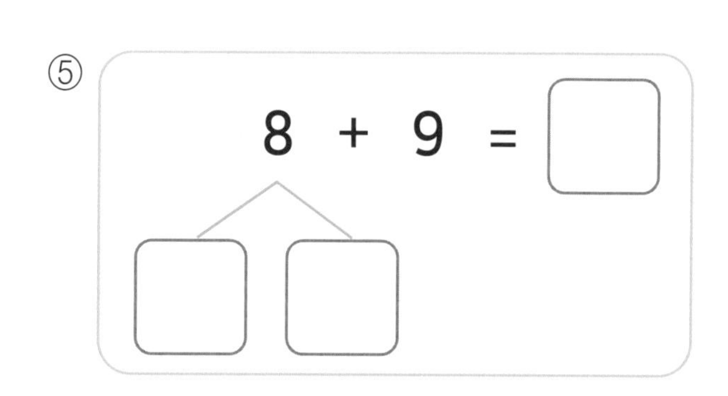

⑥ $4 + 8 = \square$

⑦
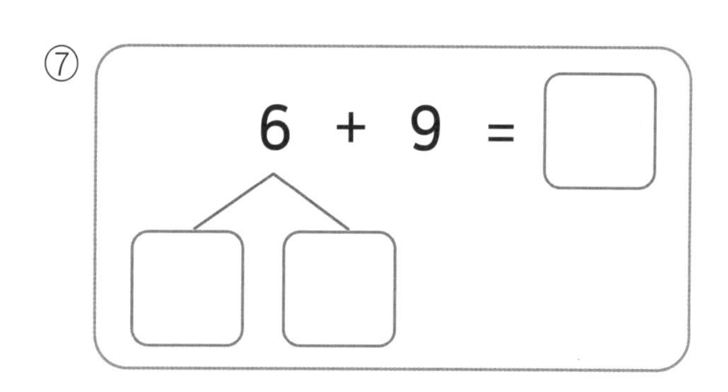

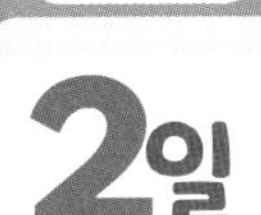

뒤의 수가 큰 덧셈

앞의 수를 갈라 10을 만들어 계산해 보세요.

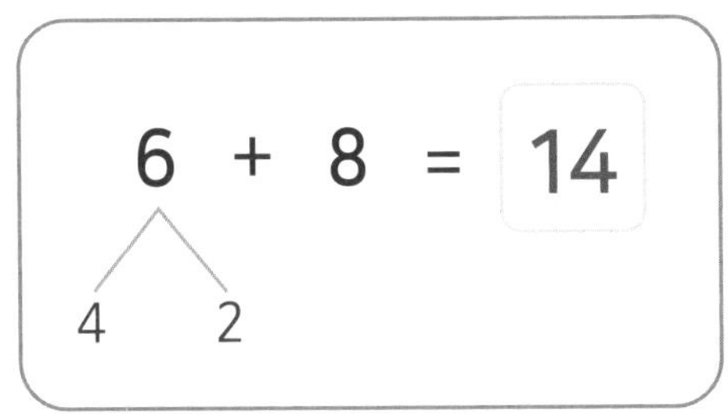

① 5 + 8 = ☐

② 3 + 9 = ☐

③ 6 + 6 = ☐

④ 4 + 9 = ☐

⑤ 7 + 9 = ☐

⑥ 4 + 7 = ☐

⑦ 6 + 7 = ☐

⑧ 2 + 9 = ☐

⑨ 8 + 8 = ☐

⑩ 5 + 9 = ☐

⑪ 4 + 8 = ☐

앞의 수를 갈라 10을 만들어 계산해 보세요.

① $3 + 8 =$ □

② $6 + 9 =$ □

③ $2 + 9 =$ □

④ $4 + 7 =$ □

⑤ $5 + 8 =$ □

⑥ $6 + 7 =$ □

⑦ $5 + 9 =$ □

⑧ $7 + 8 =$ □

⑨ $4 + 9 =$ □

⑩ $4 + 8 =$ □

⑪ $5 + 7 =$ □

⑫ $3 + 9 =$ □

공책에 있는 두 수를 더하여 빈 곳에 써넣으세요.

①

+

6	9	
4	7	
5	8	
2	9	

②

+

5	6	
7	8	
8	9	
6	7	

③

+

3	8	
4	9	
7	7	
8	8	

④

+

5	7	
6	8	
9	9	
4	8	

3일

뒤의 수를 갈라서 더하기

□에 알맞은 수를 써넣으세요.

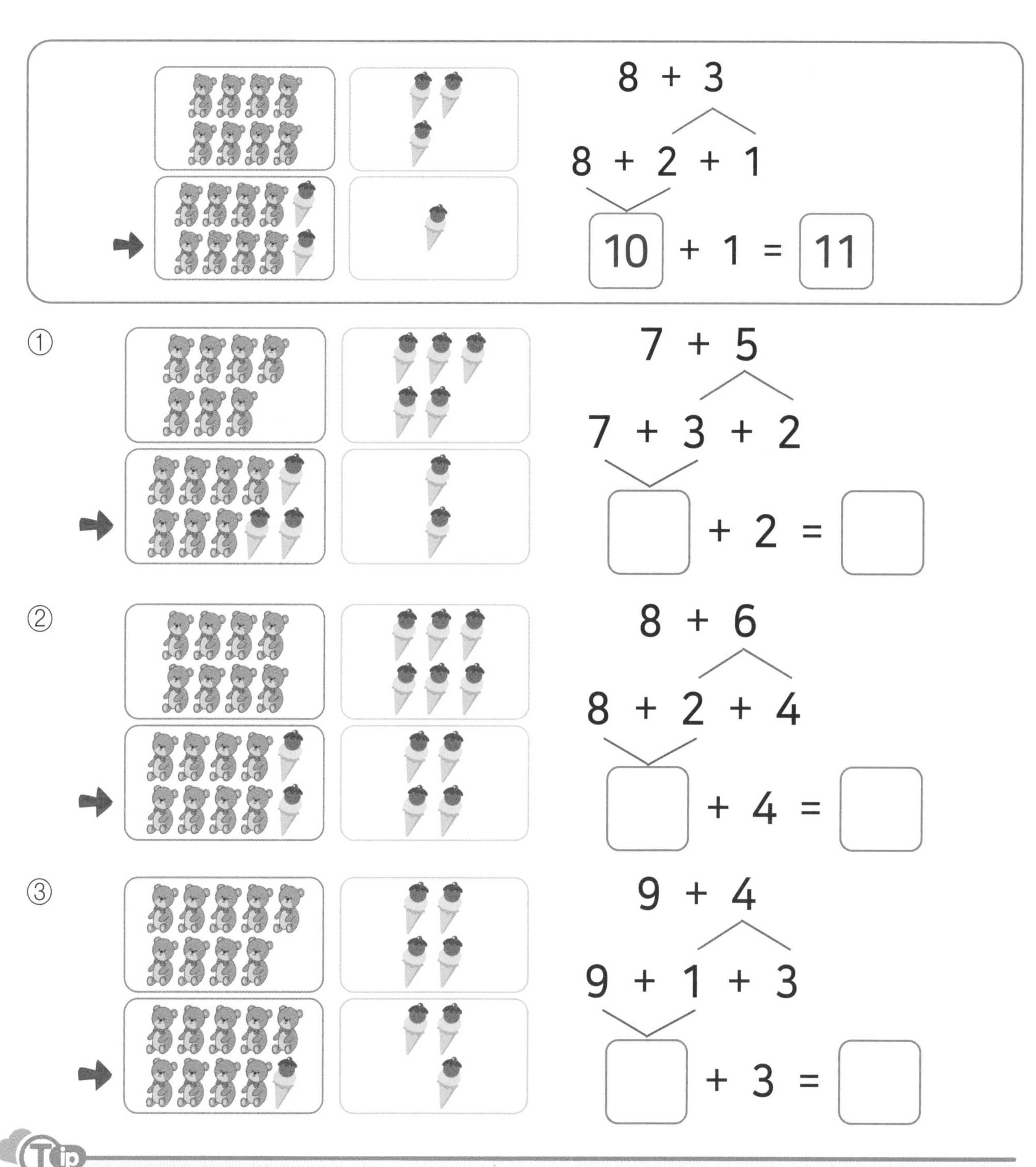

Tip 앞의 수를 10을 만든 다음 뒤의 수에서 가르고 남은 수를 더하여 계산합니다.

□에 알맞은 수를 써넣으세요.

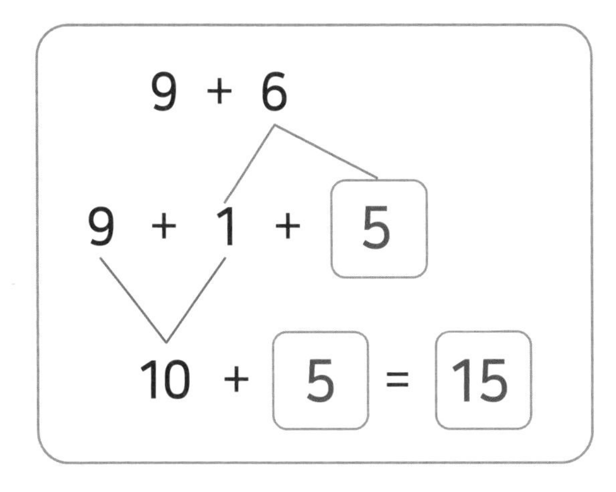

① 7 + 4

7 + 3 + □

10 + □ = □

② 8 + 3

8 + 2 + □

10 + □ = □

③

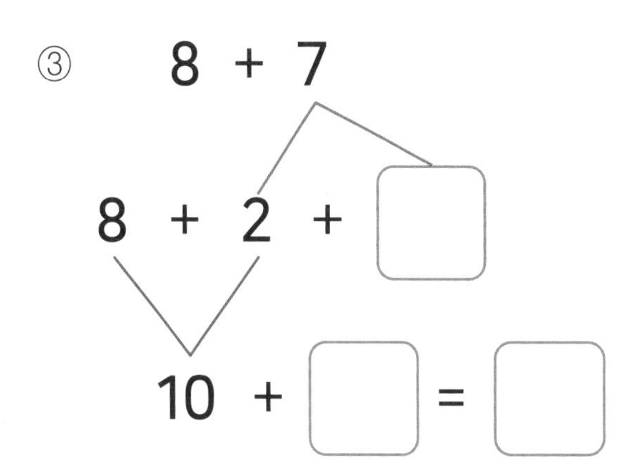

④ 9 + 4

9 + 1 + □

10 + □ = □

⑤ 7 + 5

7 + 3 + □

10 + □ = □

□에 알맞은 수를 써넣으세요.

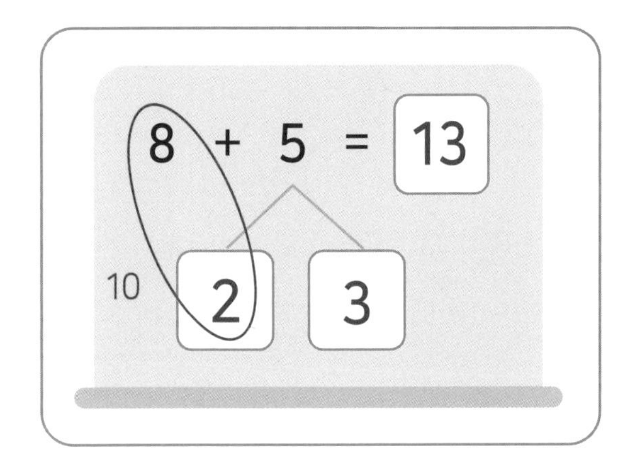

①
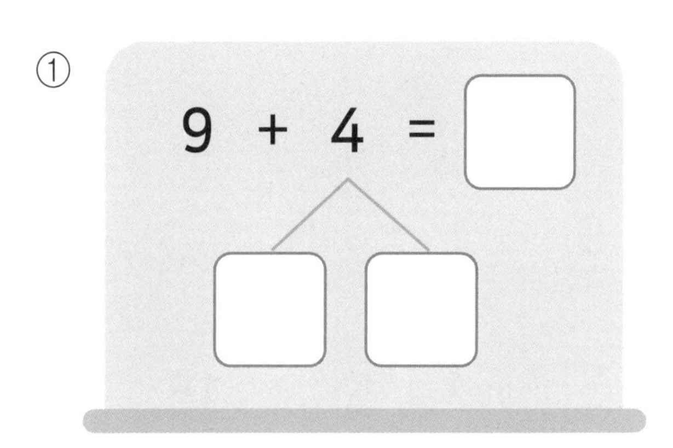

② 9 + 7 = □

□ □

③
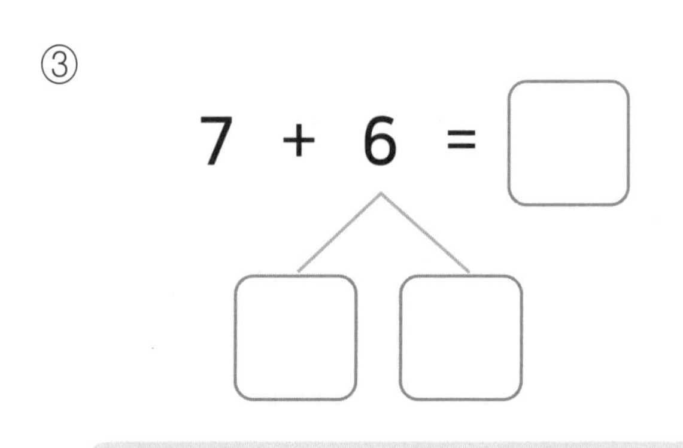

④ 9 + 8 = □

□ □

⑤
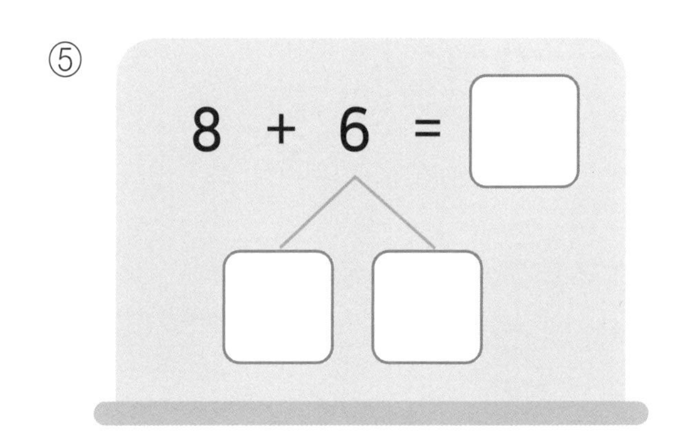

앞의 수가 큰 덧셈

월 일

뒤의 수를 갈라 10을 만들어 계산해 보세요.

$9 + 6 = 15$ (6 → 1, 5)

① $9 + 5 = \square$

② $8 + 6 = \square$

③ $8 + 3 = \square$

④ $8 + 8 = \square$

⑤ $6 + 5 = \square$

⑥ $9 + 8 = \square$

⑦ $7 + 6 = \square$

⑧ $7 + 5 = \square$

⑨ $6 + 6 = \square$

⑩ $9 + 4 = \square$

⑪ $8 + 4 = \square$

뒤의 수를 갈라 10을 만들어 계산해 보세요.

① 9 + 3 = ☐

② 8 + 4 = ☐

③ 7 + 6 = ☐

④ 9 + 7 = ☐

⑤ 9 + 4 = ☐

⑥ 8 + 3 = ☐

⑦ 7 + 4 = ☐

⑧ 8 + 6 = ☐

⑨ 9 + 5 = ☐

⑩ 7 + 5 = ☐

⑪ 8 + 5 = ☐

⑫ 9 + 2 = ☐

상자에 있는 두 수를 더하여 빈 곳에 써넣으세요.

①

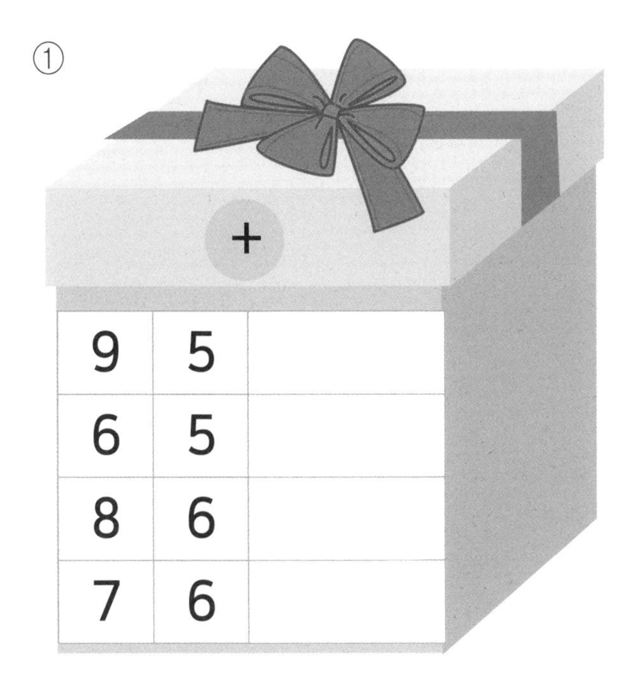

+

9	5	
6	5	
8	6	
7	6	

②

+

8	3	
8	8	
6	6	
9	4	

③

+

7	5	
9	2	
7	7	
8	4	

④

+

8	7	
7	4	
9	3	
9	9	

5일 큰 수를 10 만들어 더하기

작은 수에서 큰 수로 수를 주어 10을 만들어 계산하세요.

$4 + 8 = \boxed{12}$ (4에서 8로 2를 줌)

$9 + 5 = \boxed{14}$ (5에서 9로 1을 줌)

① $6 + 9 = \square$

② $8 + 6 = \square$

③ $5 + 7 = \square$

④ $8 + 4 = \square$

⑤ $3 + 8 = \square$

⑥ $6 + 5 = \square$

⑦ $3 + 9 = \square$

⑧ $7 + 6 = \square$

작은 수에서 큰 수로 수를 주어 10을 만들어 계산하세요.

① 5 + 8 = ☐ (2)

② 9 + 4 = ☐

③ 8 + 7 = ☐

④ 2 + 9 = ☐

⑤ 7 + 5 = ☐

⑥ 7 + 4 = ☐

⑦ 7 + 8 = ☐

⑧ 9 + 8 = ☐

⑨ 6 + 7 = ☐

⑩ 7 + 9 = ☐

⑪ 8 + 5 = ☐

⑫ 8 + 4 = ☐

계산 결과가 같은 것끼리 선으로 이으세요.

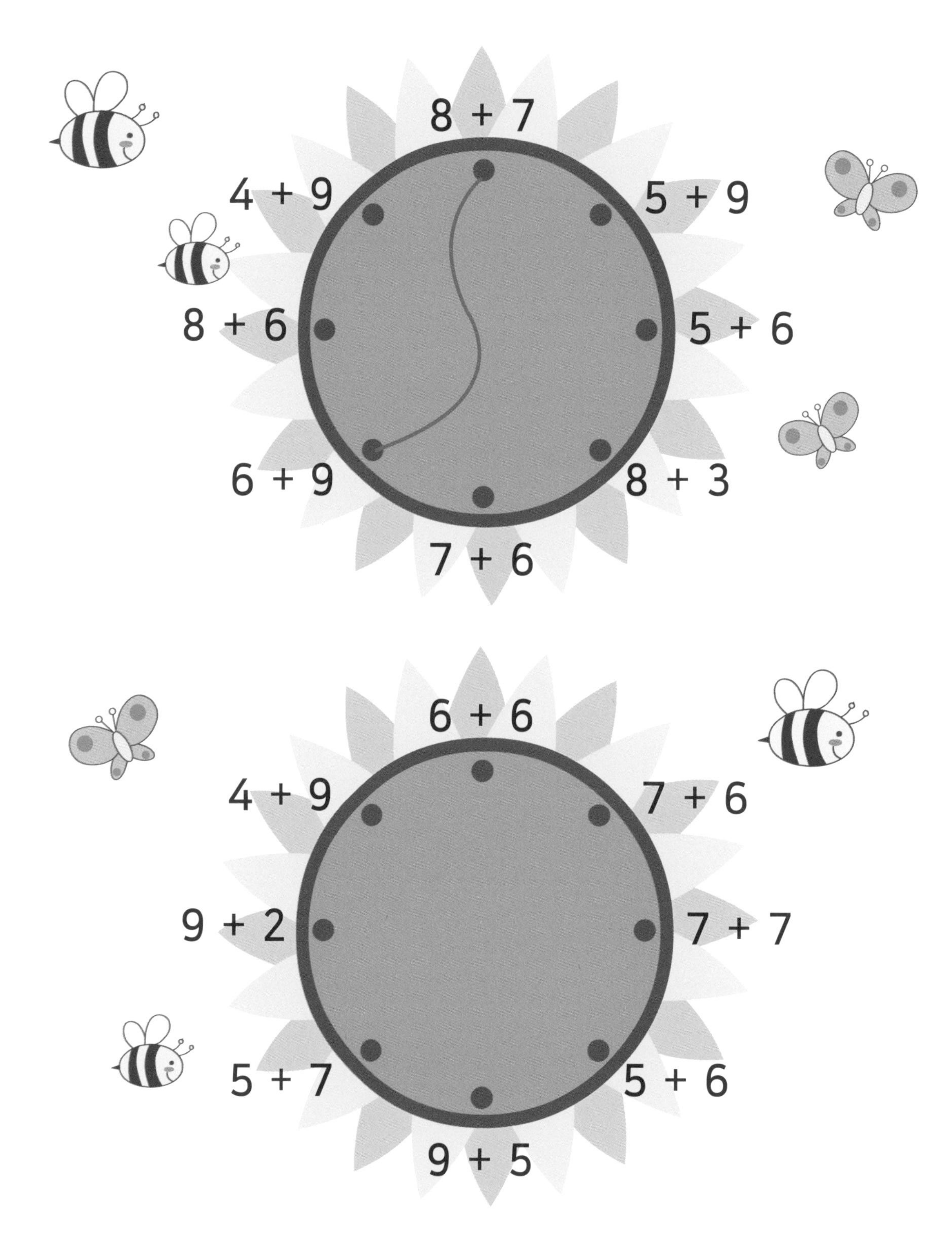

도전! 계산왕

1일 10 만들어 더하기 56

2일 10 만들어 더하기 58

3일 10 만들어 더하기 60

4일 10 만들어 더하기 62

5일 10 만들어 더하기 64

10 만들어 더하기

공부한 날	월 일
점 수	/ 8

□에 알맞은 수를 써넣으세요.

10 + 2 = 12

①

10 + 1 = □

②

10 + 4 = □

③

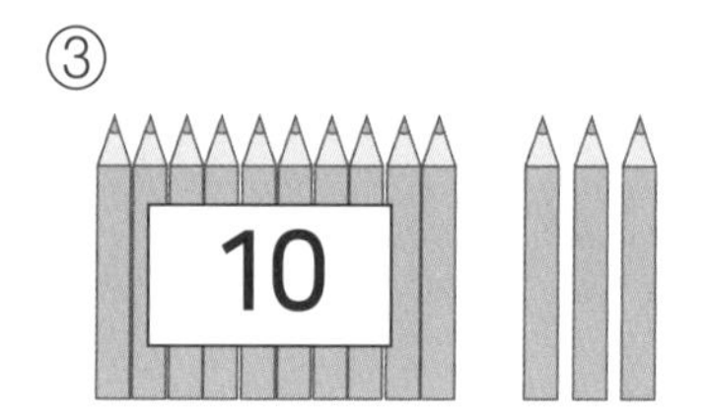

10 + 3 = □

④

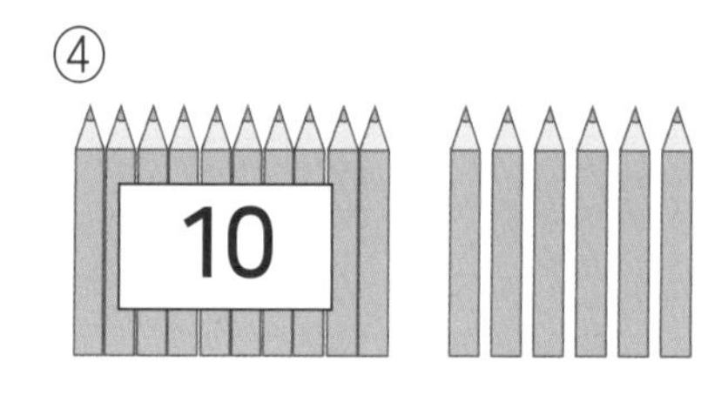

10 + 6 = □

⑤

10 + 7 = □

⑥

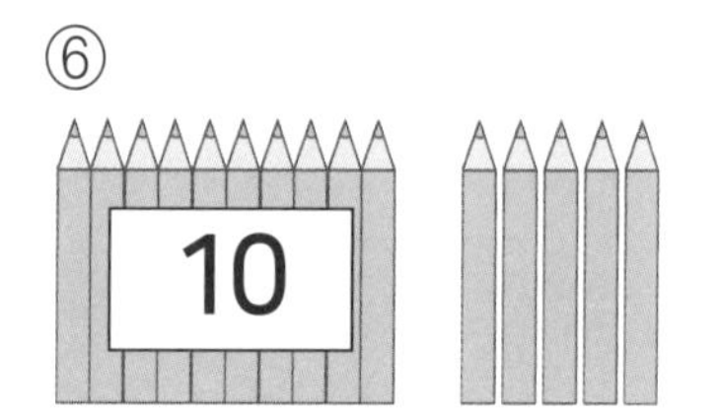

10 + 5 = □

⑦

10 + 9 = □

⑧

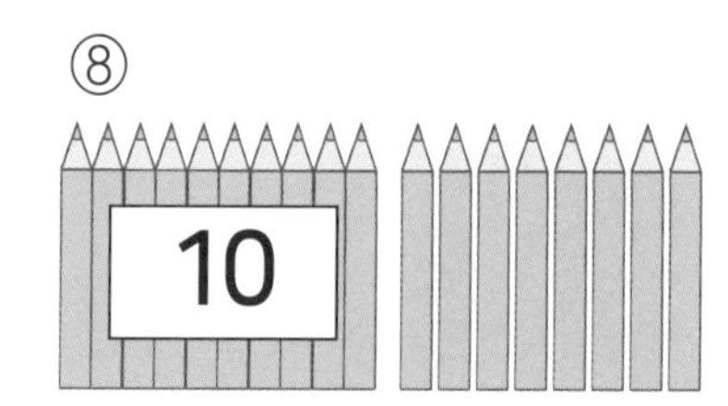

10 + 8 = □

10 만들어 더하기

공부한 날	월 일
점 수	/ 12

작은 수에서 큰 수로 수를 주어 10을 만들어 계산하세요.

① $7 + 6 = \square$

② $2 + 9 = \square$

③ $5 + 8 = \square$

④ $7 + 9 = \square$

⑤ $8 + 5 = \square$

⑥ $9 + 3 = \square$

⑦ $5 + 7 = \square$

⑧ $4 + 7 = \square$

⑨ $9 + 8 = \square$

⑩ $6 + 7 = \square$

⑪ $8 + 4 = \square$

⑫ $7 + 8 = \square$

10 만들어 더하기

합이 10되는 두 수를 묶고 □ 에 세 수의 합을 써넣으세요.

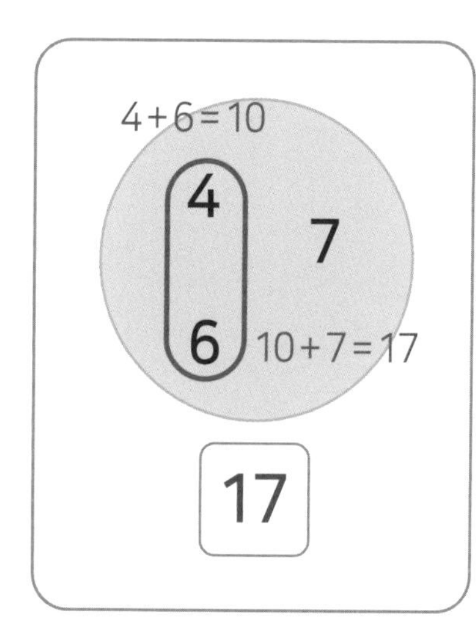

①

2 3 8

□

②

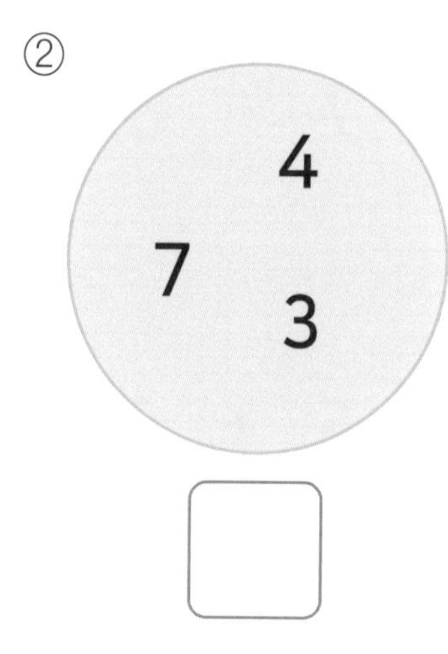

③

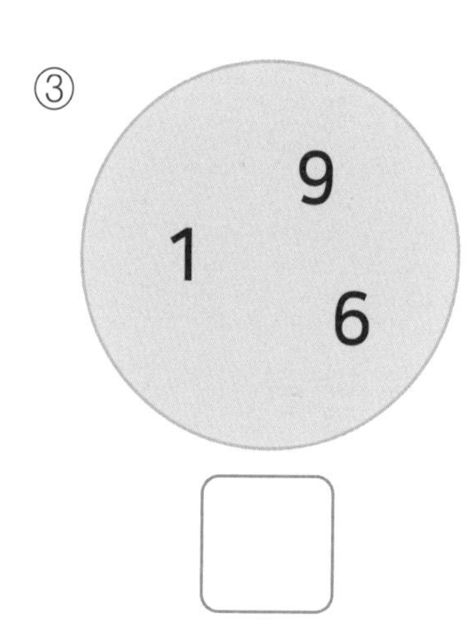

④

5 5 2

□

⑤

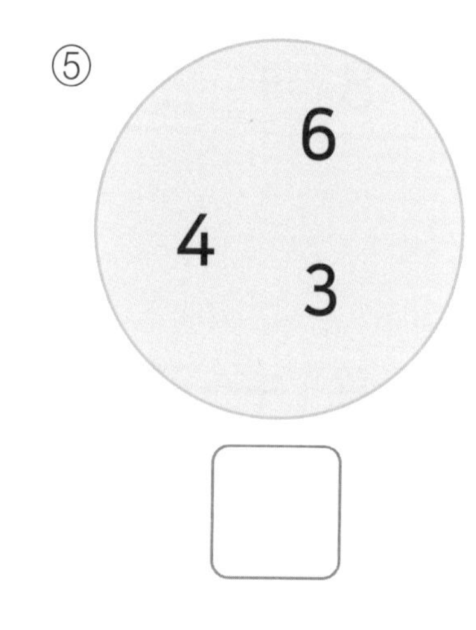

⑥

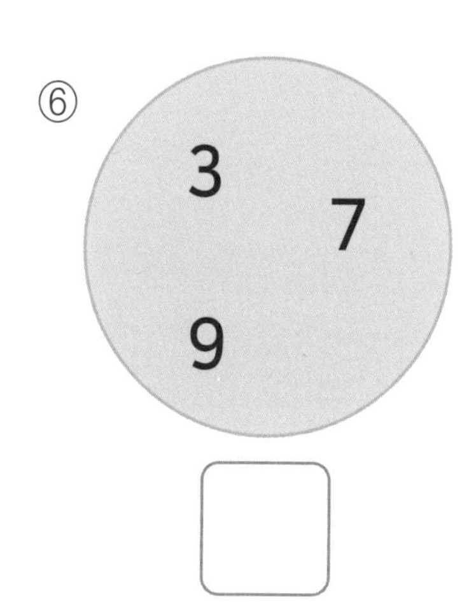

⑦

8 2 5

□

⑧

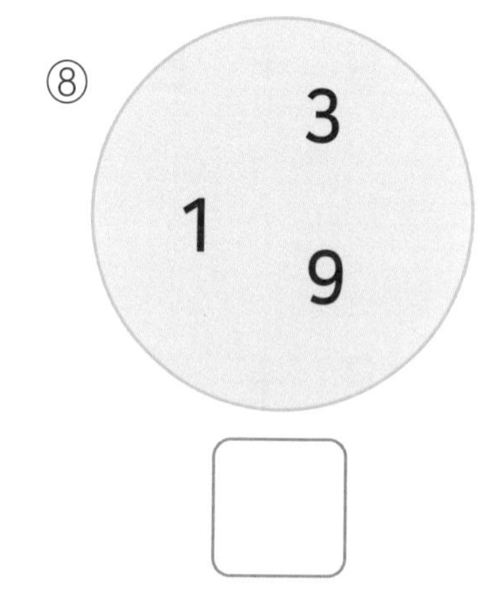

10 만들어 더하기

공부한 날	월 일
점수	/ 12

작은 수에서 큰 수로 수를 주어 10을 만들어 계산하세요.

① 9 + 6 = ☐

② 4 + 7 = ☐

③ 5 + 6 = ☐

④ 8 + 5 = ☐

⑤ 2 + 9 = ☐

⑥ 9 + 3 = ☐

⑦ 6 + 7 = ☐

⑧ 7 + 8 = ☐

⑨ 9 + 8 = ☐

⑩ 5 + 7 = ☐

⑪ 7 + 9 = ☐

⑫ 4 + 8 = ☐

10 만들어 더하기

공부한 날 　월 　일
점 수 　/7

합이 10이 되는 두 수를 잇고 계산하세요.

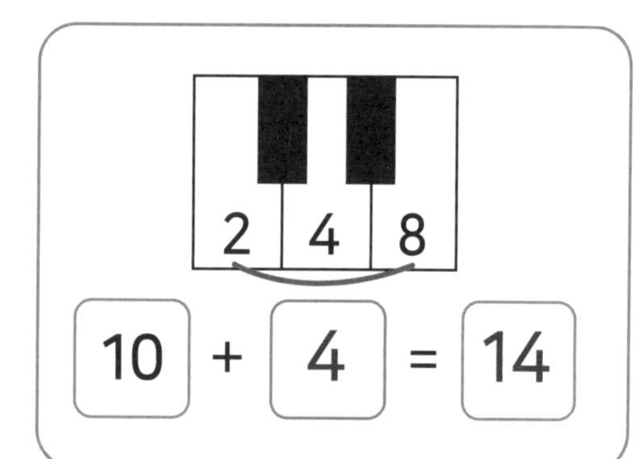

①

5 5 3

10 + ☐ = ☐

②

3 2 7

10 + ☐ = ☐

③

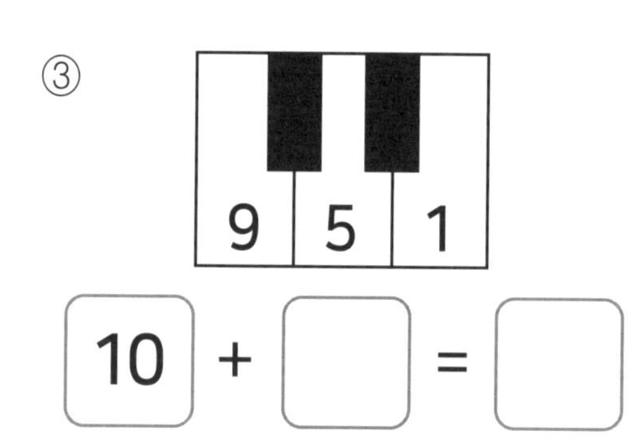

④

2 6 8

10 + ☐ = ☐

⑤

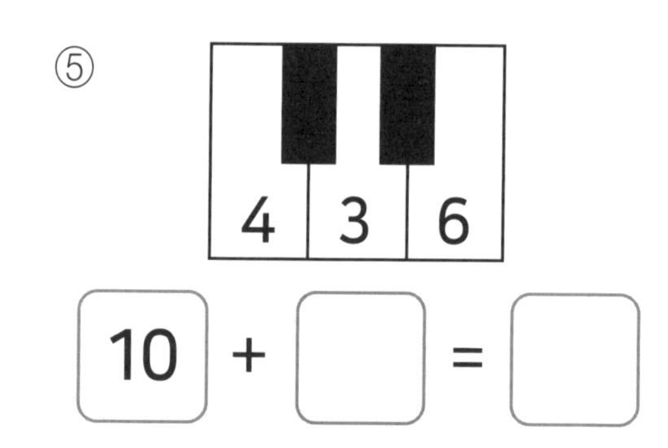

⑥

3 2 8

10 + ☐ = ☐

⑦

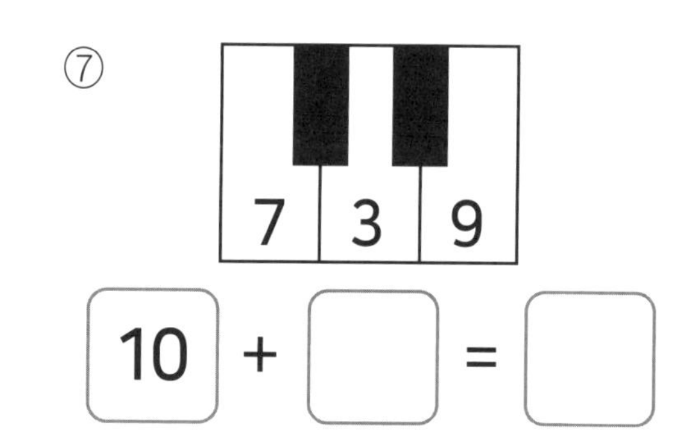

10 만들어 더하기

공부한 날	월 일
점 수	/ 12

작은 수에서 큰 수로 수를 주어 10을 만들어 계산하세요.

① 7 + 8 = ☐ ② 9 + 4 = ☐

③ 5 + 7 = ☐ ④ 8 + 3 = ☐

⑤ 6 + 8 = ☐ ⑥ 4 + 7 = ☐

⑦ 5 + 9 = ☐ ⑧ 7 + 6 = ☐

⑨ 9 + 5 = ☐ ⑩ 8 + 6 = ☐

⑪ 3 + 9 = ☐ ⑫ 6 + 7 = ☐

10 만들어 더하기

공부한 날	월 일
점수	/ 5

□에 알맞은 수를 써넣으세요.

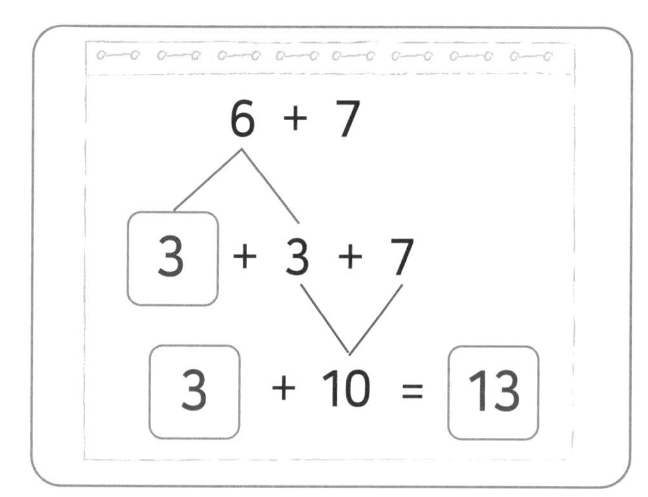

①
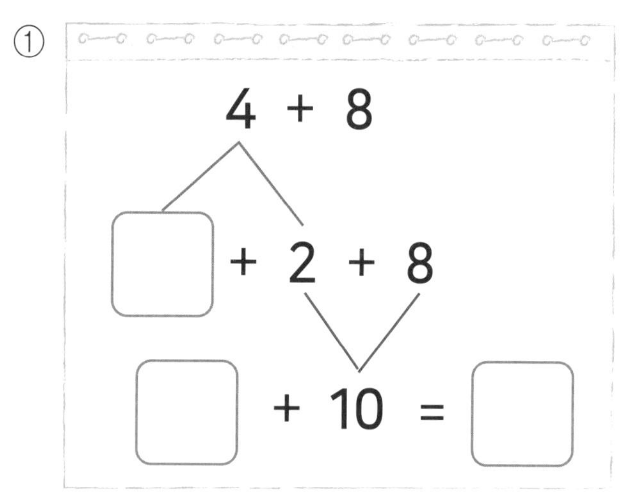

②
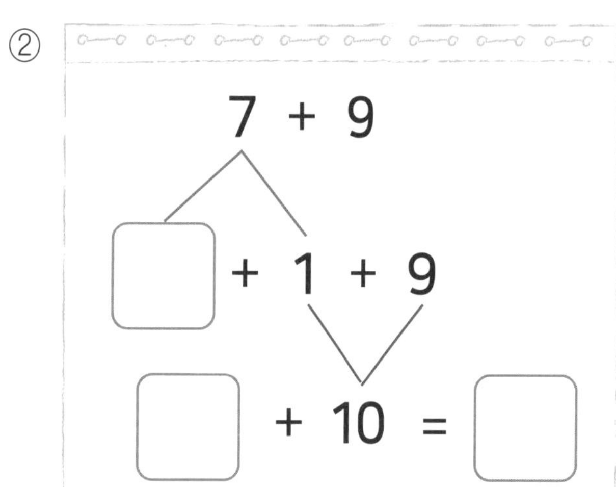

③
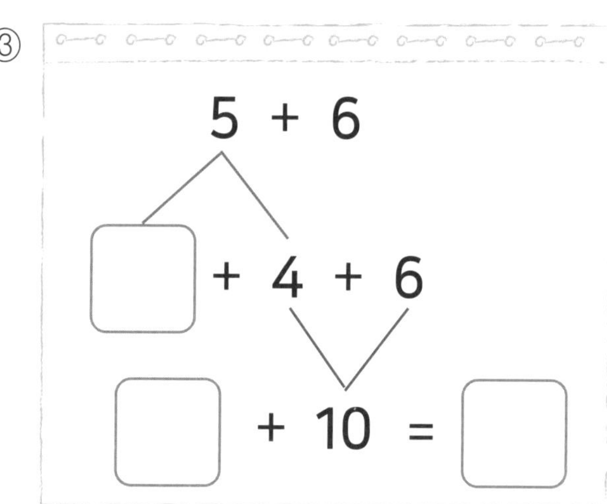

④
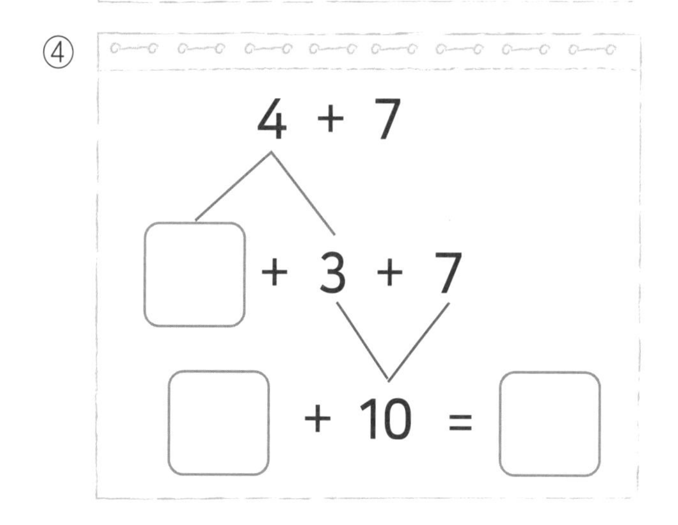

⑤
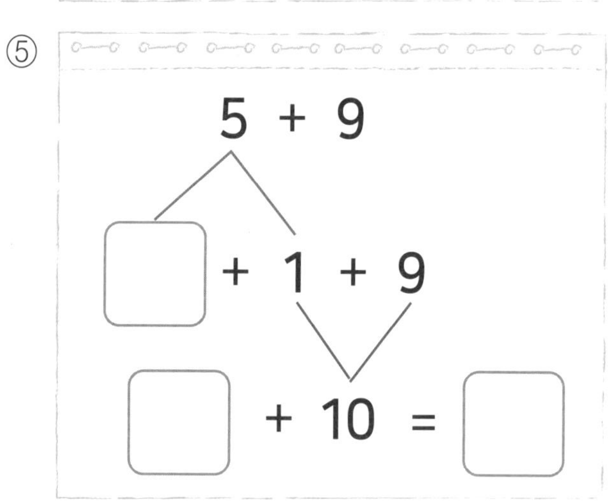

10 만들어 더하기

공부한 날	월 일
점 수	/ 12

작은 수에서 큰 수로 수를 주어 10을 만들어 계산하세요.

① $9 + 5 = \square$

② $4 + 7 = \square$

③ $8 + 6 = \square$

④ $3 + 9 = \square$

⑤ $7 + 5 = \square$

⑥ $4 + 8 = \square$

⑦ $9 + 2 = \square$

⑧ $5 + 6 = \square$

⑨ $7 + 8 = \square$

⑩ $7 + 6 = \square$

⑪ $4 + 9 = \square$

⑫ $8 + 5 = \square$

10 만들어 더하기

공부한 날 월 일
점수 /5

□에 알맞은 수를 써넣으세요.

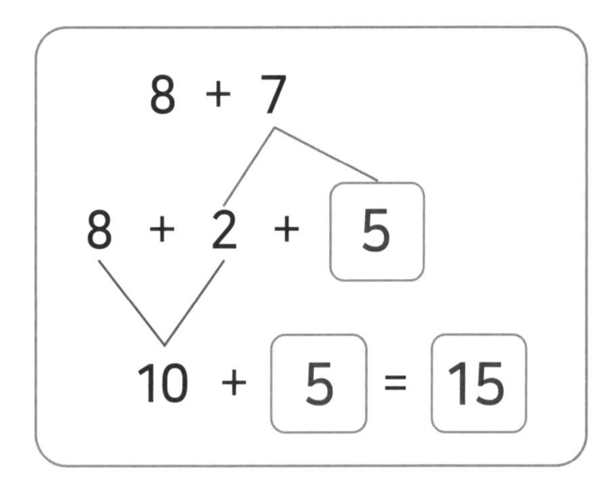

① 9 + 4

9 + 1 + □

10 + □ = □

② 7 + 5

7 + 3 + □

10 + □ = □

③ 6 + 5

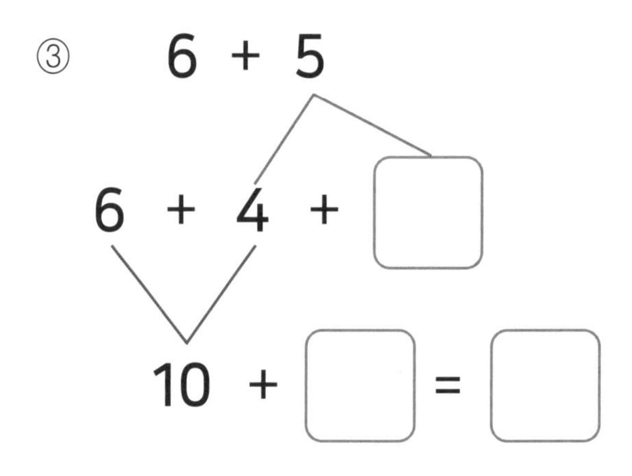

④ 9 + 6

9 + 1 + □

10 + □ = □

⑤ 8 + 4

8 + 2 + □

10 + □ = □

10 만들어 더하기

공부한 날	월 일
점 수	/ 12

작은 수에서 큰 수로 수를 주어 10을 만들어 계산하세요.

① 9 + 5 = ☐

② 3 + 8 = ☐

③ 4 + 7 = ☐

④ 8 + 5 = ☐

⑤ 4 + 9 = ☐

⑥ 7 + 6 = ☐

⑦ 6 + 5 = ☐

⑧ 3 + 9 = ☐

⑨ 8 + 4 = ☐

⑩ 7 + 5 = ☐

⑪ 9 + 8 = ☐

⑫ 5 + 8 = ☐

MEMO

두 수의 덧셈

1일 두 수의 덧셈 68

2일 수직선과 수 막대 71

3일 빈칸 채우기 75

4일 연산 퍼즐 78

5일 문장제 81

받아올림이 있는 한 자리 수의 덧셈을 수직선과 수 막대, 빈칸 채우기, 연산 퍼즐 등의 다양한 형태로 계산해 봅니다.

두 수의 덧셈

가로와 세로에 쓰여 있는 수의 합을 빈 곳에 써넣으세요.

①

+	7	8	9
5	12		

5+7=12

②

+	4	5	6
9			

③

+	6	7	8
6			

④

+	3	4	5
8			

⑤

+	7	8	9
3			

⑥

+	7	8	9
4			

⑦

+	5	6	7
7			

⑧

+	7	8	9
9			

Tip
연속된 수를 더하면서 각각의 더한 결과가 어떻게 변하는지 관찰해 보세요.

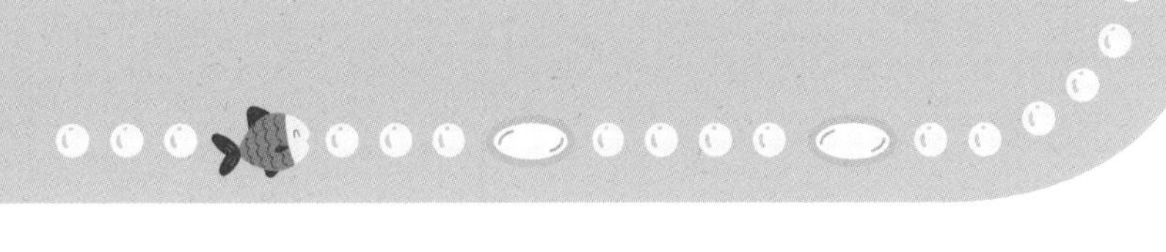

□에 알맞은 수를 써넣으세요.

① $6 + 8 = \square$

② $2 + 9 = \square$

③ $7 + 7 = \square$

④ $5 + 8 = \square$

⑤ $9 + 4 = \square$

⑥ $6 + 6 = \square$

⑦ $3 + 9 = \square$

⑧ $8 + 8 = \square$

⑨ $9 + 8 = \square$

⑩ $7 + 4 = \square$

⑪ $6 + 9 = \square$

⑫ $7 + 9 = \square$

⑬ $9 + 5 = \square$

⑭ $8 + 4 = \square$

합이 ◇ 안의 수가 되는 두 수를 찾아 선으로 이어 보세요.

13

4 •	• 5
6 •	• 9
8 •	• 7

11

8 •	• 3
5 •	• 4
7 •	• 6

12

6 •	• 5
7 •	• 6
3 •	• 9

14

7 •	• 9
5 •	• 6
8 •	• 7

수직선과 수 막대

□에 알맞은 수를 써넣으세요.

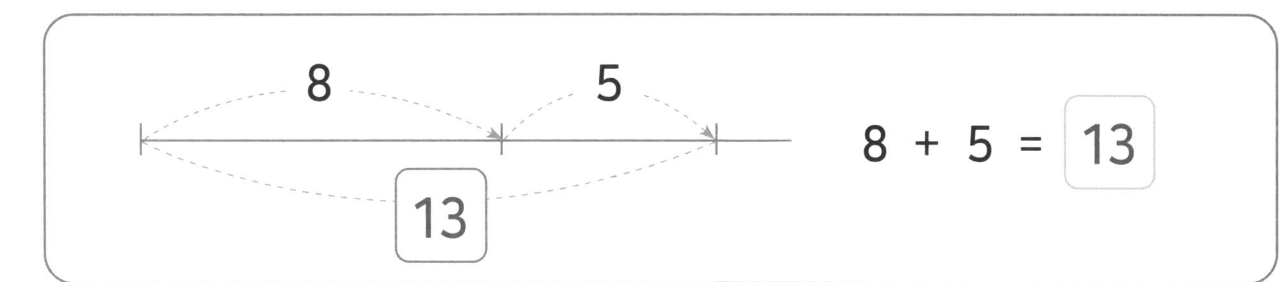

① 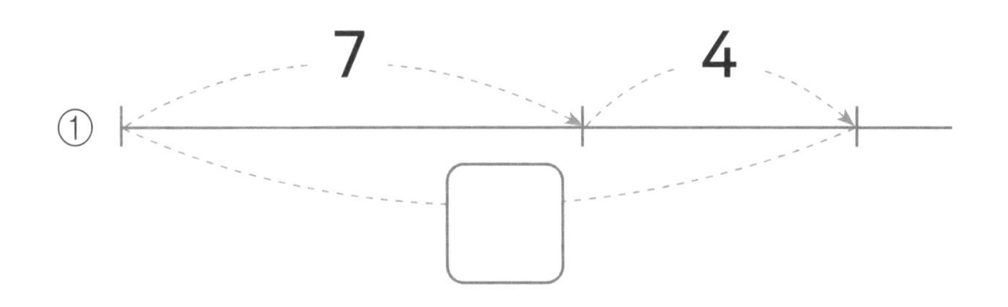

7 + 4 = □

② 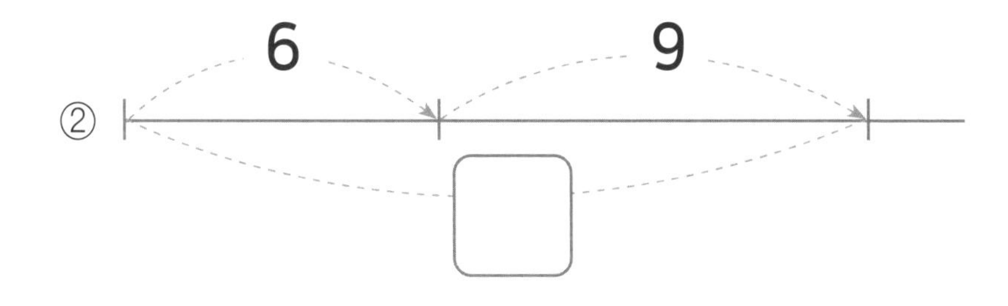

6 + 9 = □

③ 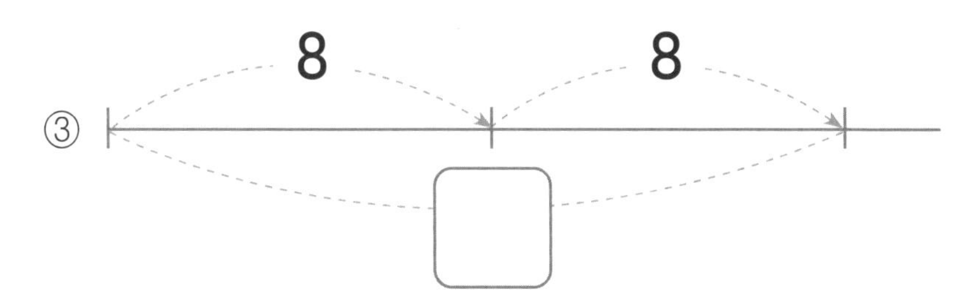

8 + 8 = □

④ 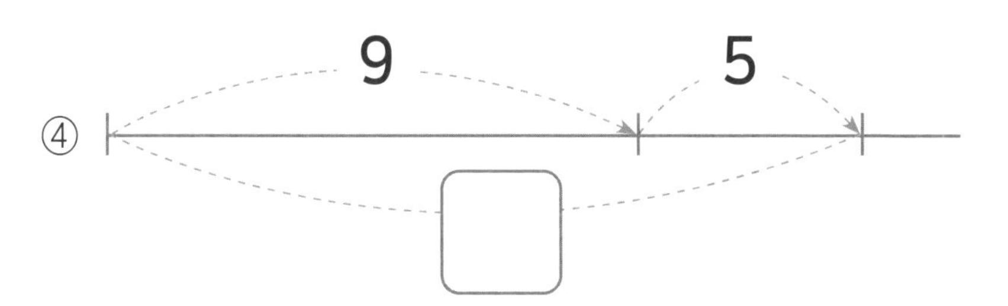

9 + 5 = □

□에 알맞은 수를 써넣으세요.

① 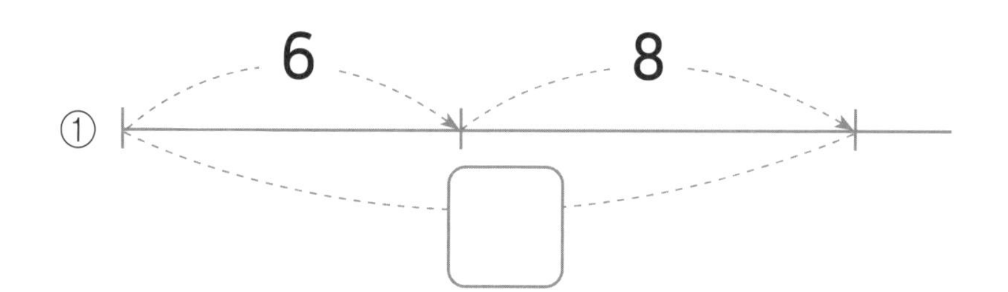

6 + 8 = □

② 4, 9

4 + 9 = □

③ 3, 8

3 + 8 = □

④ 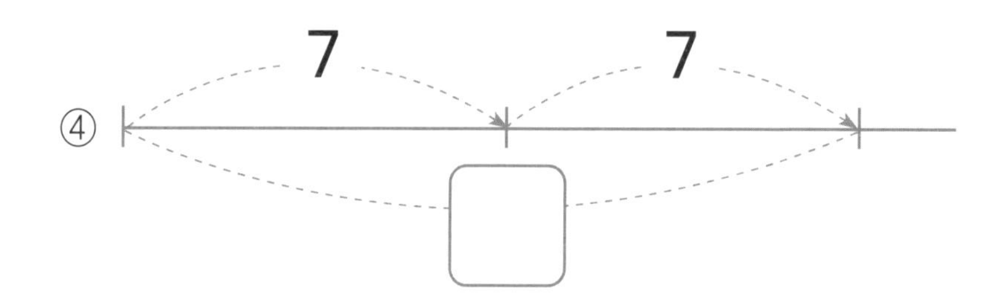

7 + 7 = □

⑤ 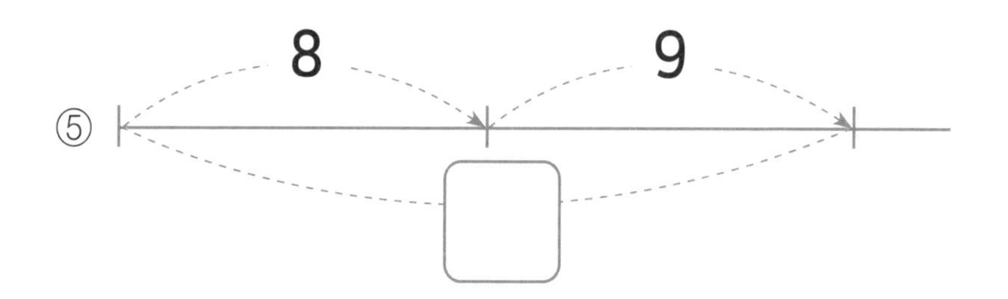

8 + 9 = □

□에 알맞은 수를 써넣으세요.

① 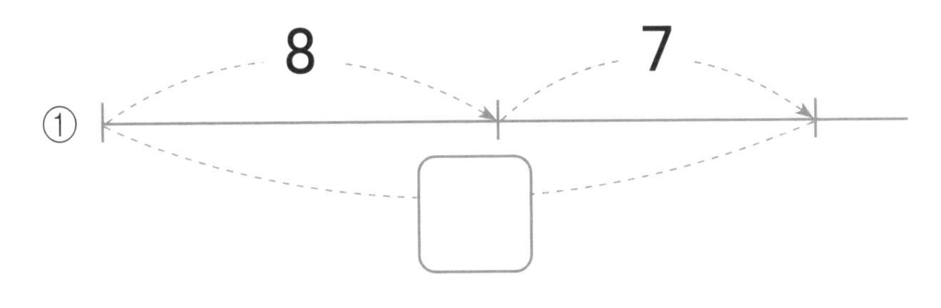

$8 + 7 = \square$

② 6, 6

$6 + 6 = \square$

③ 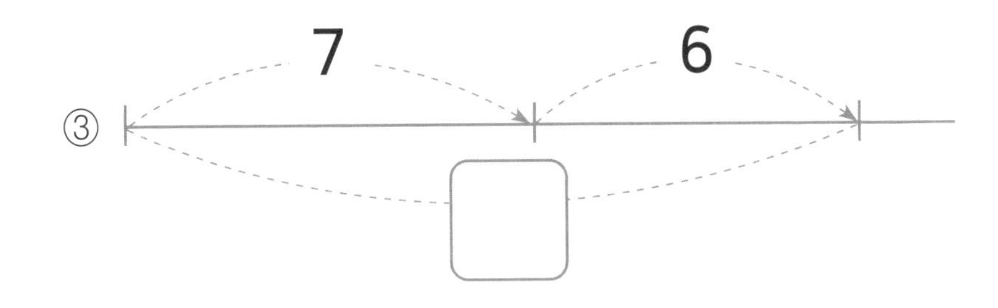

$7 + 6 = \square$

④ 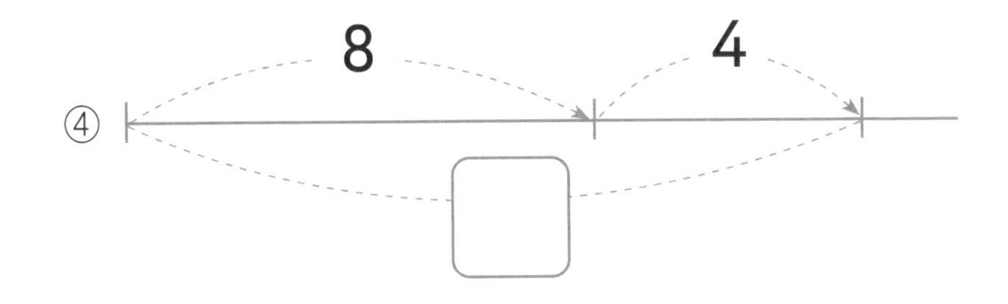

$8 + 4 = \square$

⑤ 5, 7

$5 + 7 = \square$

빈 곳에 알맞은 수를 써넣으세요.

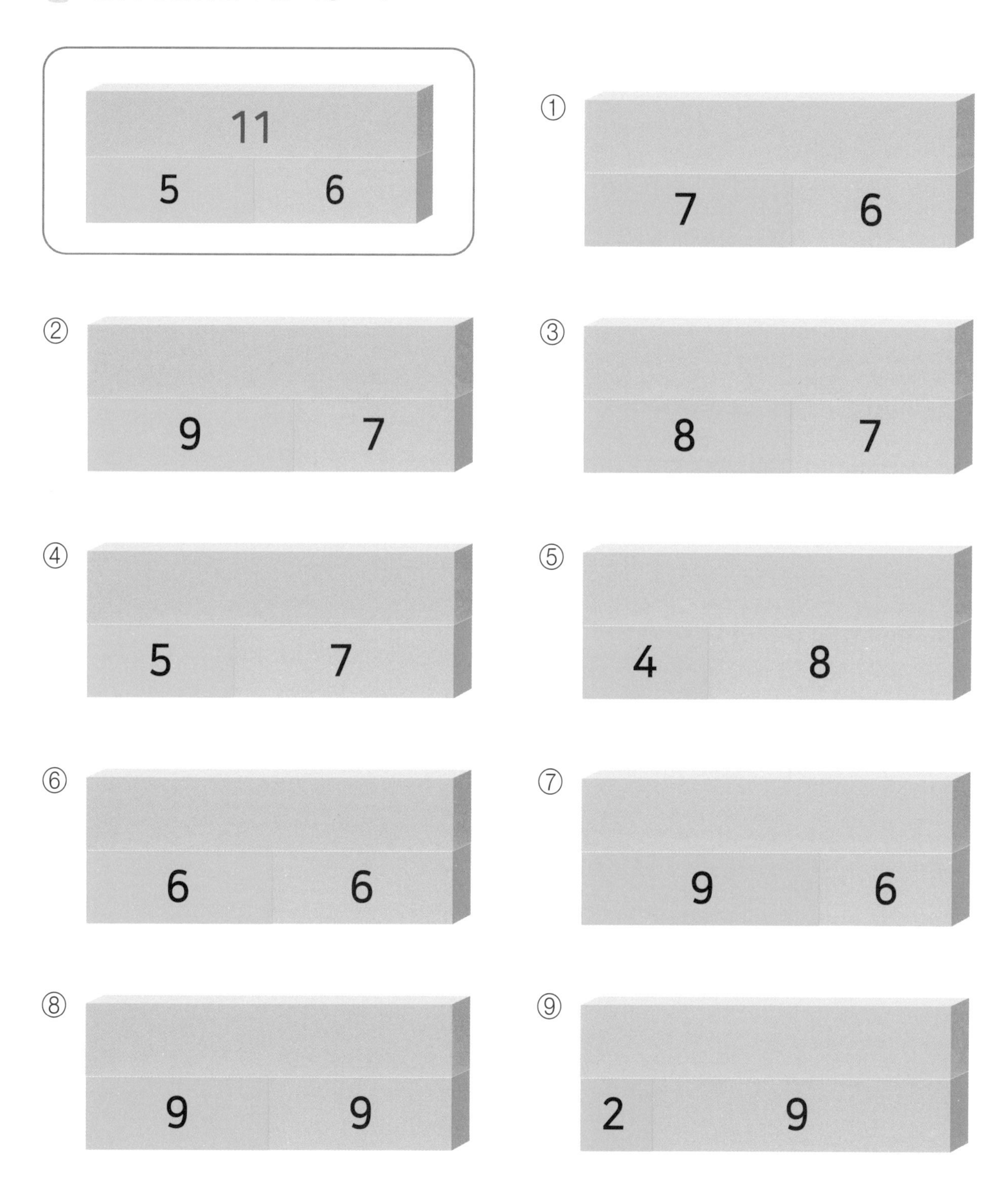

빈칸 채우기

월 일

□에 들어갈 숫자에 ◯표 하세요.

□7 + 6 = 13

4 (7) 8

7 + □ = 15

5 6 8

□ + 8 = 16

3 5 8

9 + □ = 13

3 4 6

□ + 4 = 12

6 8 9

8 + □ = 17

4 7 9

□ + 7 = 11

4 6 7

9 + □ = 14

4 5 8

Tip

3장의 숫자 카드를 하나씩 넣어 보면서 □에 알맞은 수를 찾아보세요.

□에 들어갈 숫자에 ○표 하세요.

□ + 9 = 15

5 6 7

5 + □ = 13

6 7 8

□ + 8 = 12

3 4 5

6 + □ = 11

4 5 6

□ + 9 = 11

2 3 4

7 + □ = 12

3 4 5

□ + 5 = 11

5 6 7

7 + □ = 14

7 8 9

Tip

첫 번째 수를 넣어 본 다음 □에 알맞은 수를 찾는 방법을 생각해 보세요.

□에 알맞은 수를 넣어 계산식을 완성하세요.

| 6 | + | 7 | = | 13 |

① 8 + □ = 13

② □ + 4 = 11

③ 9 + □ = 14

④ □ + 6 = 15

⑤ 5 + □ = 11

⑥ □ + 3 = 12

⑦ 8 + □ = 12

⑧ □ + 9 = 17

⑨ 7 + □ = 14

⑩ □ + 5 = 12

⑪ 6 + □ = 15

⑫ □ + 8 = 16

⑬ 3 + □ = 11

Tip

어림하여 수를 넣어 보면서 □에 알맞은 수를 찾아보세요.

연산 퍼즐

이웃한 두 수의 합이 바로 위의 수가 되도록 빈 곳에 알맞은 수를 써넣으세요.

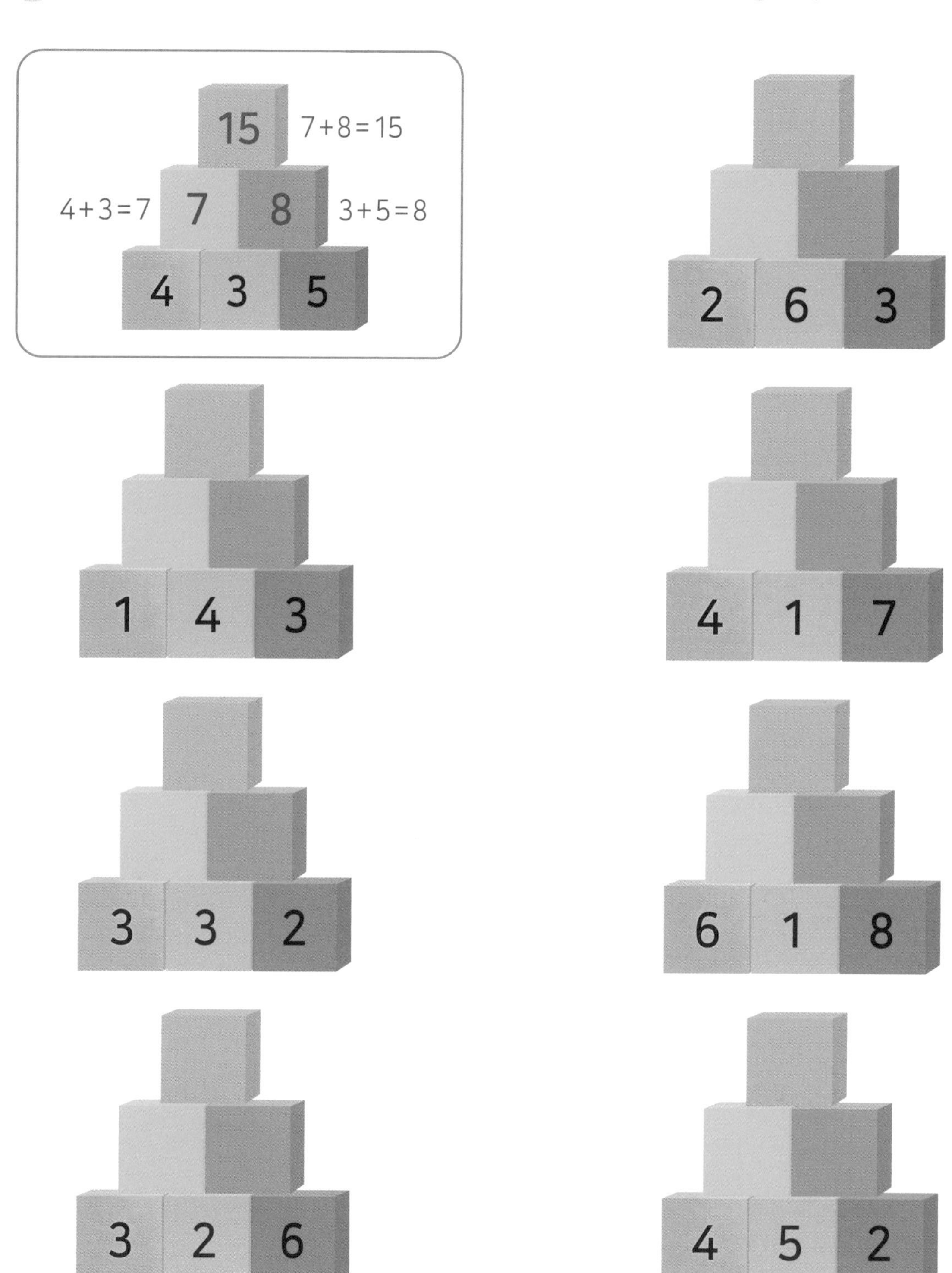

두 수의 합이 작은 수부터 차례로 선을 이어 보세요.

7 + 7

9 + 6

4 + 9

8 + 9

6 + 5

8 + 8

8 + 4

9 + 9

3 + 7

더한 수가 나오도록 길을 이어 보세요.

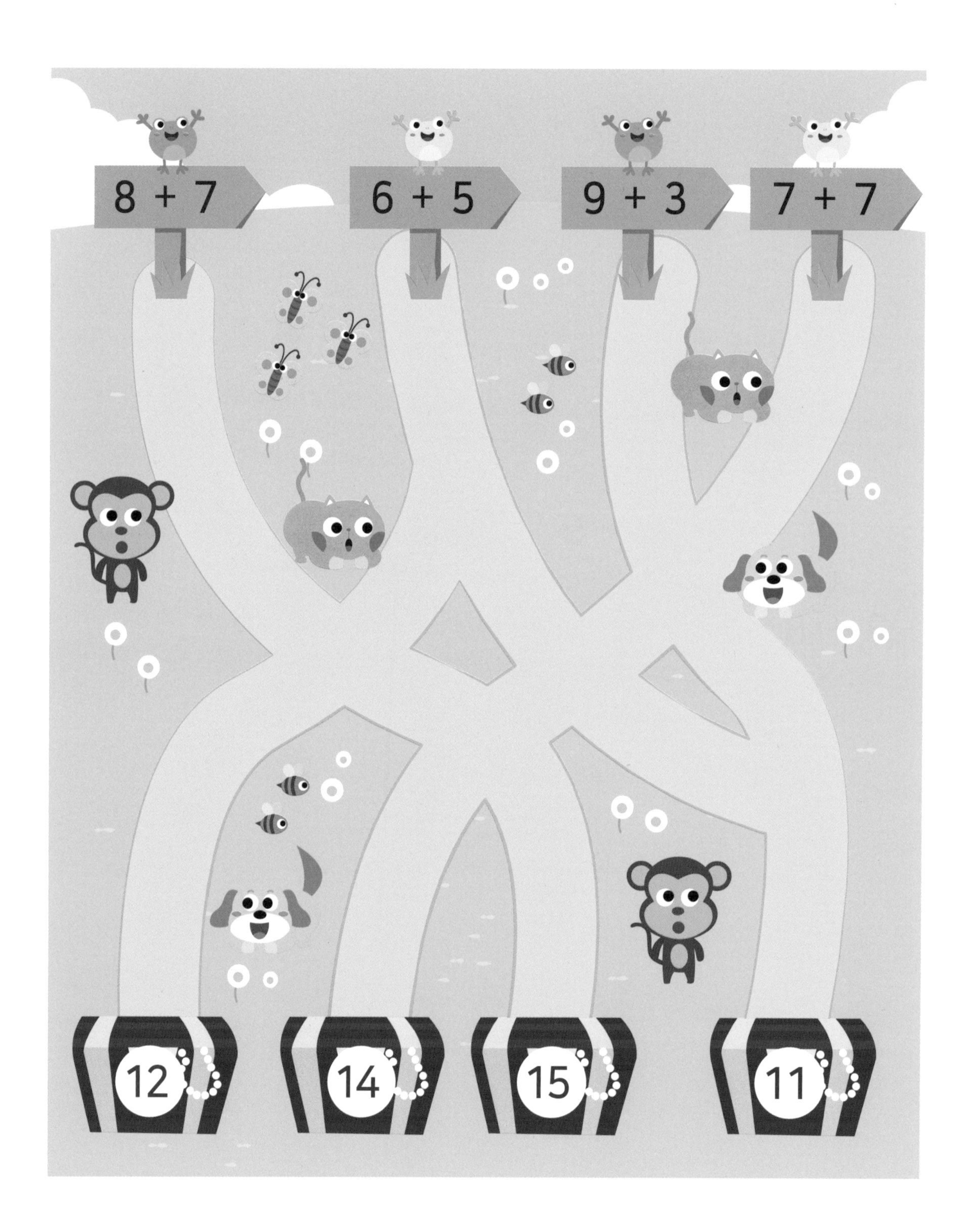

문장제

글과 그림을 보고 물음에 알맞은 식을 세우고 답을 구하세요.

여러 가지 모양을 만들어 보려고 민수, 미정이, 현철이는 각각 7개, 6개, 9개의 성냥을 준비하였습니다.

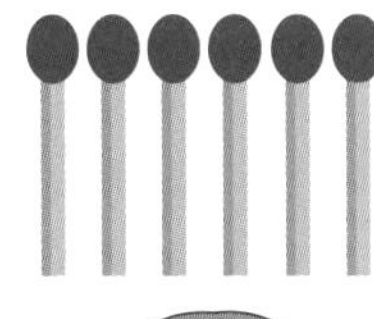
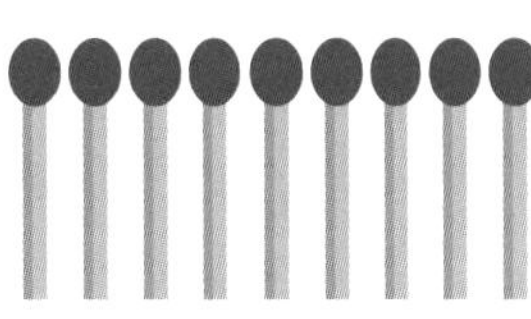

① 민수와 미정이가 같이 여러 가지 모양을 만든다면 몇 개의 성냥개비를 사용할 수 있을까요?

식 : ______________________ 답 : ______ 개

② 미정이와 현철이가 같이 여러 가지 모양을 만든다면 몇 개의 성냥개비를 사용할 수 있을까요?

식 : ______________________ 답 : ______ 개

문제를 읽고 알맞은 식과 답을 써 보세요.

① 상진이는 물을 오전에 4컵, 오후에 7컵 마셨습니다. 상진이가 하루 동안 마신 물은 몇 컵일까요?

식 : ______________________ 답 : ______ 컵

② 꽃밭에 벌과 나비가 각각 8마리씩 있었는데 갑자기 모두 날아가 버렸습니다. 날아가 버린 벌과 나비는 모두 몇 마리일까요?

식 : ______________________ 답 : ______ 마리

문제를 읽고 알맞은 식과 답을 써 보세요.

① 냉장고에 요구르트 7개가 있었는데 어머니께서 8개의 요구르트를 사오셔서 모두 냉장고에 넣었습니다. 냉장고에 있는 요구르트는 모두 몇 개일까요?

식 : ________________ 답 : ______ 개

② 극장 좌석의 한 줄에 8명이 앉아 있는데 아직 4개의 빈 자리가 있습니다. 이 좌석은 한 줄에 몇 명까지 앉을 수 있을까요?

식 : ________________ 답 : ______ 명

③ 성진이는 반 아이들과 한 명씩 가위바위보를 했는데 8명에게는 이기고 5명에게는 졌습니다. 성진이가 가위바위보를 한 사람은 모두 몇 명일까요?

식 : ________________ 답 : ______ 명

문제를 읽고 알맞은 식과 답을 써 보세요.

① 자동차 9대가 주차된 주차장에 7대가 더 들어와서 주차장에 자리가 없게 되었습니다. 이 주차장은 차를 몇 대까지 주차시킬 수 있을까요?

식 : ______________________ 답 : ______ 대

② 어머니와 마트에 가서 당근 3개, 사과 4개, 과자 3봉지, 양파 9개를 샀습니다. 마트에서 산 채소는 모두 몇 개일까요?

식 : ______________________ 답 : ______ 개

③ 고양이에게 집에서 남은 생선을 모두 주었더니 6마리를 먹고 5마리를 남겨 놓았습니다. 고양이에게 준 생선은 모두 몇 마리일까요?

식 : ______________________ 답 : ______ 마리

도전! 계산왕

1일 두 수의 덧셈 86

2일 두 수의 덧셈 88

3일 두 수의 덧셈 90

4일 두 수의 덧셈 92

5일 두 수의 덧셈 94

두 수의 덧셈

공부한 날 월 일
점수 / 8

가로와 세로에 쓰여 있는 수의 합을 빈 곳에 써넣으세요.

①

+	7	8	9
4	11		

4+7=11

②

+	6	7	8
5			

③

+	3	4	5
9			

④

+	7	8	9
3			

⑤

+	7	8	9
5			

⑥

+	6	7	8
4			

⑦

+	3	4	5
7			

⑧

+	6	7	8
8			

두 수의 덧셈

공부한 날	월 일
점 수	/ 14

□에 알맞은 수를 써넣으세요.

① 4 + 8 = □

② 5 + 9 = □

③ 9 + 7 = □

④ 9 + 6 = □

⑤ 4 + 7 = □

⑥ 8 + 9 = □

⑦ 8 + 8 = □

⑧ 9 + 3 = □

⑨ 6 + 7 = □

⑩ 9 + 4 = □

⑪ 5 + 8 = □

⑫ 7 + 7 = □

⑬ 2 + 9 = □

⑭ 8 + 6 = □

두 수의 덧셈

공부한 날	월 일
점 수	/ 5

□에 알맞은 수를 써넣으세요.

① 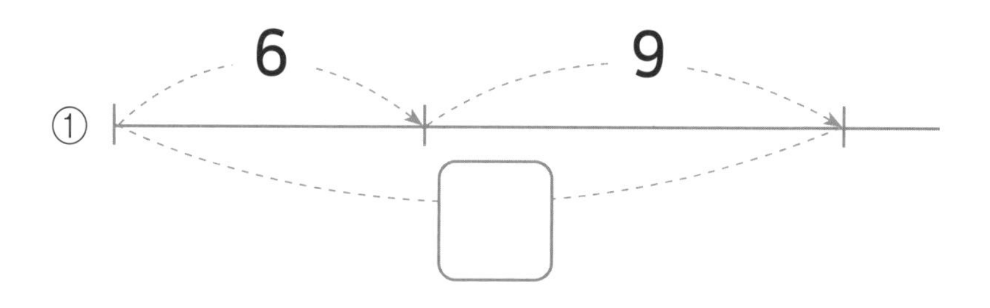

$6 + 9 = \square$

② 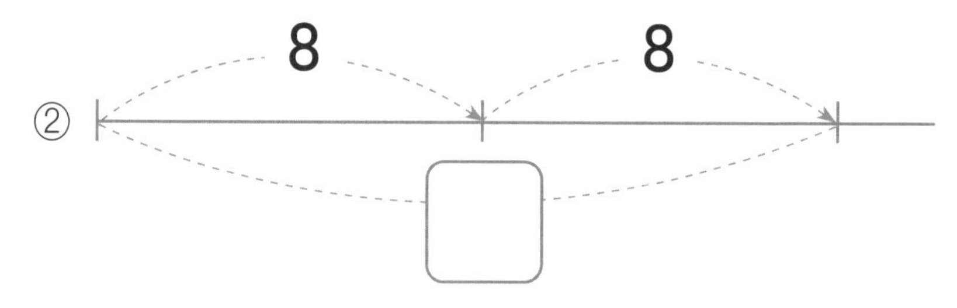

$8 + 8 = \square$

③ 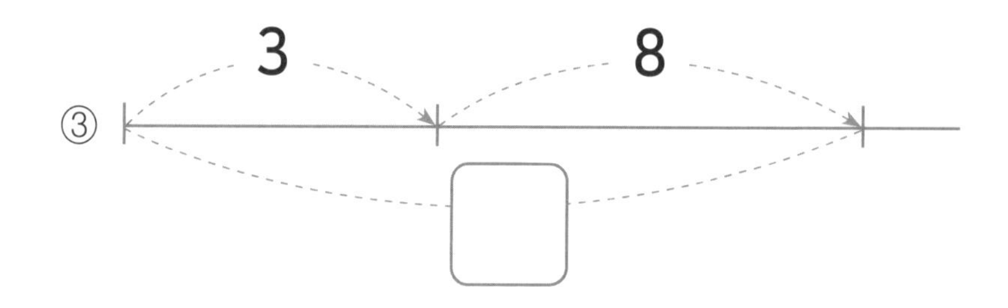

$3 + 8 = \square$

④ 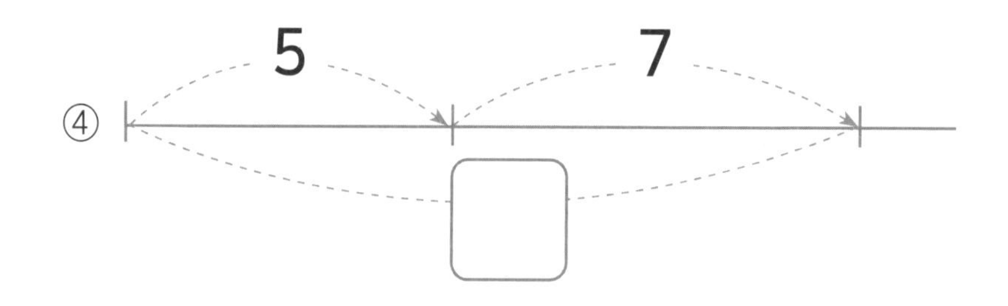

$5 + 7 = \square$

⑤ 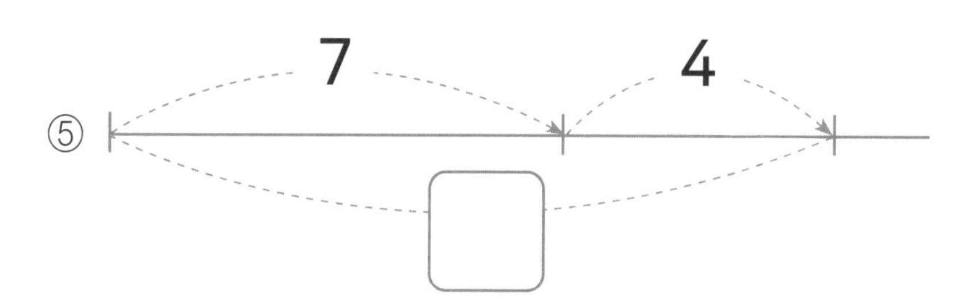

$7 + 4 = \square$

두 수의 덧셈

공부한 날 월 일
점 수 / 14

□에 알맞은 수를 써넣으세요.

① $8 + 6 = \square$

② $5 + 9 = \square$

③ $7 + 4 = \square$

④ $6 + 7 = \square$

⑤ $8 + 8 = \square$

⑥ $9 + 3 = \square$

⑦ $5 + 7 = \square$

⑧ $6 + 6 = \square$

⑨ $9 + 7 = \square$

⑩ $8 + 5 = \square$

⑪ $4 + 8 = \square$

⑫ $8 + 7 = \square$

⑬ $3 + 8 = \square$

⑭ $9 + 2 = \square$

두 수의 덧셈

공부한 날	월 일
점 수	/ 9

빈 곳에 알맞은 수를 써넣으세요.

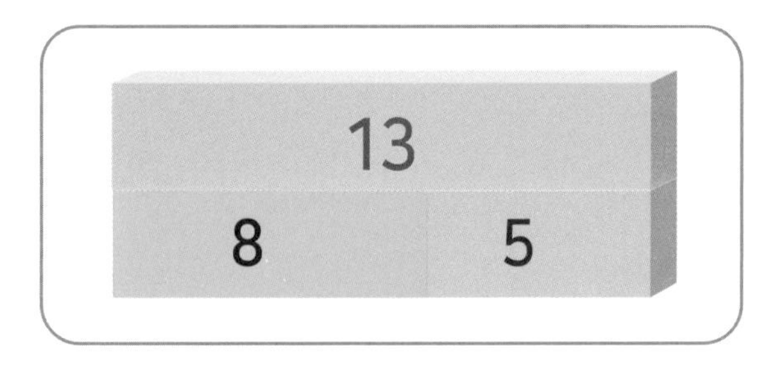

① 7 4

② 

③ 6 5

④ 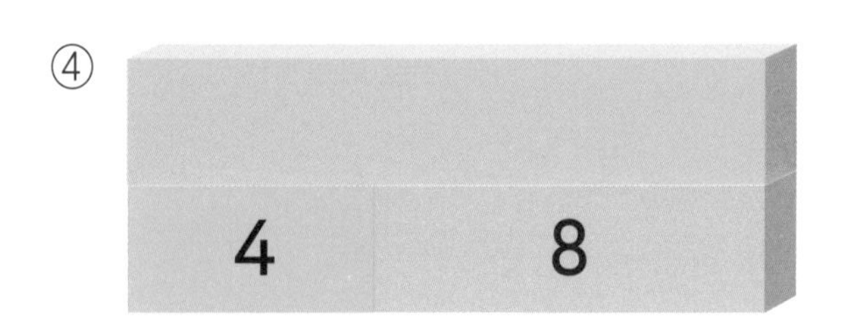

⑤ 3 9

⑥ 

⑦ 8 6

⑧ 

⑨ 3 8

두 수의 덧셈

공부한 날	월 일
점수	/ 14

□에 알맞은 수를 써넣으세요.

① 9 + 5 = □

② 8 + 8 = □

③ 6 + 9 = □

④ 5 + 8 = □

⑤ 7 + 6 = □

⑥ 8 + 3 = □

⑦ 6 + 6 = □

⑧ 7 + 8 = □

⑨ 9 + 8 = □

⑩ 8 + 6 = □

⑪ 4 + 9 = □

⑫ 7 + 7 = □

⑬ 9 + 7 = □

⑭ 3 + 9 = □

두 수의 덧셈

공부한 날 월 일
점수 /7

□에 들어갈 숫자에 ◯표 하세요.

$\boxed{7} + 5 = 12$

5 (7) 9

① $8 + \square = 14$

4 5 6

② $\square + 7 = 13$

6 7 8

③ $5 + \square = 12$

3 5 7

④ $\square + 9 = 15$

5 6 7

⑤ $7 + \square = 15$

4 6 8

⑥ $\square + 3 = 11$

7 8 9

⑦ $9 + \square = 16$

7 8 9

두 수의 덧셈

공부한 날	월 일
점수	/ 14

□에 알맞은 수를 써넣으세요.

① $8 + 5 =$ □ ② $7 + 7 =$ □

③ $7 + 8 =$ □ ④ $8 + 4 =$ □

⑤ $9 + 7 =$ □ ⑥ $6 + 5 =$ □

⑦ $3 + 9 =$ □ ⑧ $5 + 7 =$ □

⑨ $8 + 9 =$ □ ⑩ $7 + 6 =$ □

⑪ $6 + 6 =$ □ ⑫ $8 + 6 =$ □

⑬ $7 + 5 =$ □ ⑭ $4 + 9 =$ □

두 수의 덧셈

공부한 날	월 일
점 수	/ 8

가로와 세로에 쓰여 있는 수의 합을 빈 곳에 써넣으세요.

①

+	6	7	8
6			

②

+	7	8	9
9			

③

+	7	8	9
4			

④

+	3	4	5
7			

⑤

+	5	6	7
6			

⑥

+	4	5	6
8			

⑦

+	7	8	9
5			

⑧

+	7	8	9
3			

5일 ❷

두 수의 덧셈

공부한 날	월 일
점수	/ 14

□에 알맞은 수를 써넣으세요.

① $3 + 8 = \square$

② $8 + 8 = \square$

③ $9 + 6 = \square$

④ $5 + 7 = \square$

⑤ $7 + 7 = \square$

⑥ $9 + 5 = \square$

⑦ $8 + 5 = \square$

⑧ $7 + 4 = \square$

⑨ $5 + 6 = \square$

⑩ $3 + 9 = \square$

⑪ $4 + 8 = \square$

⑫ $9 + 7 = \square$

⑬ $8 + 6 = \square$

⑭ $6 + 9 = \square$

MEMO

09 □에 알맞은 수를 써넣으세요.

10 + □ = 15

10 + □ = 12

10 가로와 세로에 쓰여 있는 수의 합을 빈 곳에 써넣으세요.

+	4	5	6
6			

+	3	4	5
8			

11 □에 알맞은 수를 써넣으세요.

8 + 8 = □

4 + 9 = □

12 문제를 읽고 알맞은 식과 답을 써 보세요.

다람쥐 두 마리가 각각 6개와 7개의 도토리를 모았습니다. 두 다람쥐가 모은 도토리는 모두 몇 개일까요?

식 : ____________

답 : ______ 개

13 □에 알맞은 수를 써넣으세요.

□ + 10 = 11

□ + 10 = 15

14 아래 두 수의 합이 바로 위의 수가 되도록 빈 곳에 알맞은 수를 써넣으세요.

15 □에 알맞은 수를 써넣으세요.

4 + 5 + 5 = □

8 + 5 + 2 = □

16 문제를 읽고 알맞은 식과 답을 써 보세요.

극장 앞 매표소에서 남자 5명과 여자 9명이 줄을 서서 기다리고 있습니다. 매표소에서 줄을 서서 기다리고 있는 사람은 모두 몇 명일까요?

식 : ____________

답 : ______ 명

총괄 테스트

이름　　　점수

01 □에 알맞은 수를 써넣으세요.

10 + □ = 13

10 + □ = 17

02 합이 ◇ 안의 수가 되는 두 수를 찾아 선으로 이어 보세요.

8 •	• 6
9 •	• 7
7 •	• 5

03 □에 알맞은 수를 써넣으세요.

7 + 9 = □

3 + 8 = □

04 문제를 읽고 알맞은 식과 답을 써 보세요.

바둑알 통에서 바둑알 몇 개를 꺼냈더니 검은색 바둑알이 6개, 흰색 바둑알이 9개 였습니다. 꺼낸 바둑알은 모두 몇 개일까요?

식 : ______________________

답 : ______ 개

05 □에 알맞은 수를 써넣으세요.

□ + 10 = 14

□ + 10 = 18

06 △에 있는 세 수의 합을 가운데 □에 써넣으세요.

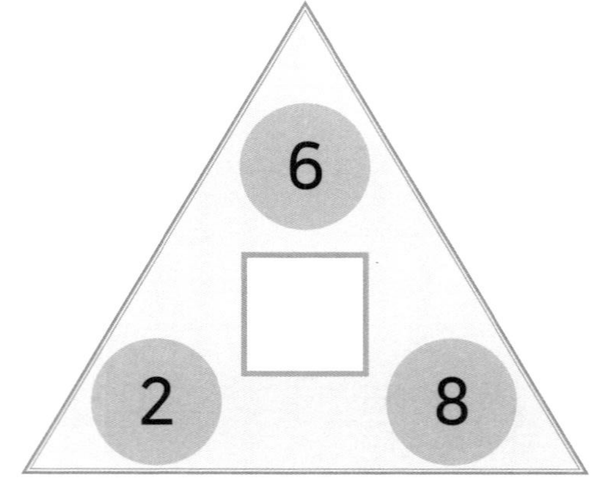

07 □에 알맞은 수를 써넣으세요.

3 + 6 + 7 = □

5 + 1 + 9 = □

08 문제를 읽고 알맞은 식과 답을 써 보세요.

민수는 9개의 사탕을 가지고 있고 미진이는 7개의 사탕을 가지고 있습니다. 두 사람이 가지고 있는 사탕은 모두 몇 개일까요?

식 : ______________________

답 : ______ 개

 1000math.com

홈페이지

· 천종현수학연구소 소개 및 학습 자료 공유
· 출판 교재, 연구소 굿즈 구입

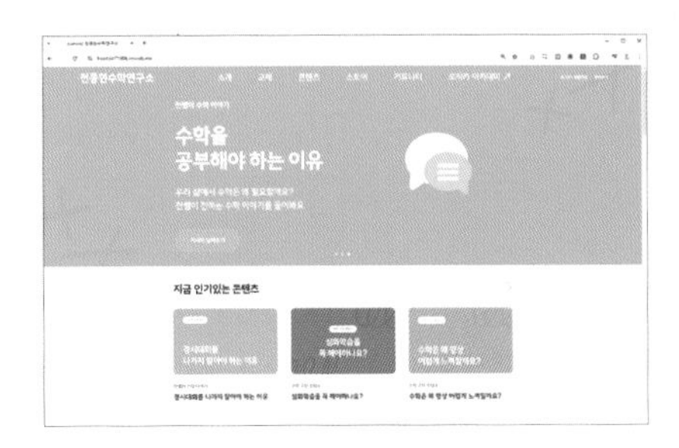

 cafe.naver.com/maths1000

네이버카페

· 다양한 이벤트 및 '천쌤수학학습단' 진행
· 학습 상담 게시판 운영

 https://www.instagram.com/1000maths

인스타그램

· 수학고민상담소 '천쌤에게 물어보셈' 릴스 보기
· 가장 빠르게 만나는 연구소 소식 및 이벤트

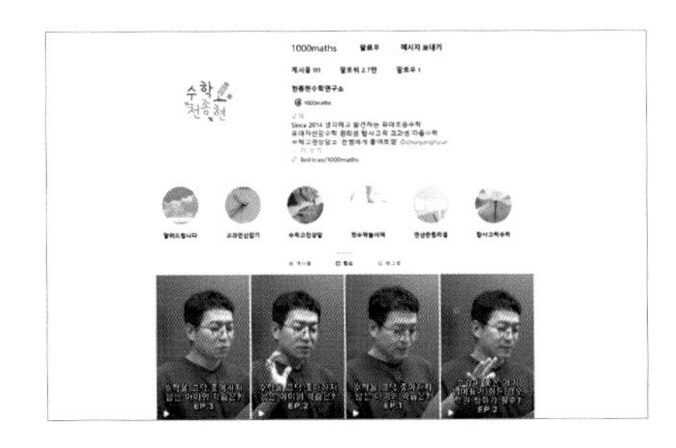

 https://www.youtube.com/@1000math4U

유튜브

· 인스타 라이브방송 '천쌤에게 물어보셈' 다시 보기
· 고민 상담 사례 및 수학교육 기획 콘텐츠

천종현수학연구소는
유아 초등 수학 교재와 **콘텐츠**를 꾸준히 **개발**하고 있습니다. 네이버에 '**천종현수학연구소**'를 검색하시거나 **인스타그램**, **유튜브** 등 다양한 채널을 통해서도 **연산**과 **사고력 수학**, **교과 심화 학습**에 대한 **노하우**와 **정보**를 다양하게 제공합니다. 지금 바로 만나보세요.

SINCE 2014

천종현수학연구소 출판 교재

01
유아 자신감 수학

썼다 지웠다 붙였다 뗐다
우리 아이의 첫 수학 교재

02
TOP 사고력 수학

실력도 탑! 재미도 탑!
사고력 수학의 으뜸

03
교과셈

사칙연산+도형, 측정, 경우의 수까지
반복 학습이 필요한 초등 연산 완성

04
따풀 수학

다양한 개념과 해결 방법을 배우는
배움이 있는 학습지

05
초등 사고력 수학의 원리/전략

진정한 수학 실력은 원리의 이해와 문제 해결 전략에서
재미있게 읽는 17년 초등 사고력 수학의 노하우!!

하루 10분

|단계별 유아 원리 연산|

키즈 수학 전문가가 만든 연산 교재

원리셈

천종현 지음

정답

예비 초등 7·8세 | 5권 | 10 만들어 더하기

천종현수학연구소

10쪽
① 12 ② 13
③ 14 ④ 15 ⑤ 16
⑥ 17 ⑦ 18 ⑧ 19

11쪽
① 14
② 16 ③ 16
④ 15 ⑤ 17
⑥ 12 ⑦ 12
⑧ 18 ⑨ 13
⑩ 17 ⑪ 19
⑫ 14 ⑬ 15

12쪽
① 17 ② 14
③ 17 ④ 19 ⑤ 13
⑥ 18 ⑦ 15 ⑧ 12
⑨ 12 ⑩ 18 ⑪ 16

13쪽
① 16 ② 14 ③ 17
④ 18 ⑤ 15 ⑥ 18 ⑦ 14
⑧ 19 ⑨ 11 ⑩ 12 ⑪ 16

14쪽
① 3 ② 8
③ 2 ④ 7
⑤ 5 ⑥ 9

15쪽
① 6 ② 10
③ 3 ④ 10
⑤ 8 ⑥ 10

16쪽
① 7 ② 9
③ 2 ④ 4
⑤ 6 ⑥ 5
⑦ 3 ⑧ 8
⑨ 9 ⑩ 6
⑪ 1 ⑫ 7

17쪽
① 16, 18 ② 13, 16, 11, 15
③ 17, 15, 14, 12 ④ 16, 19, 12, 18

18쪽
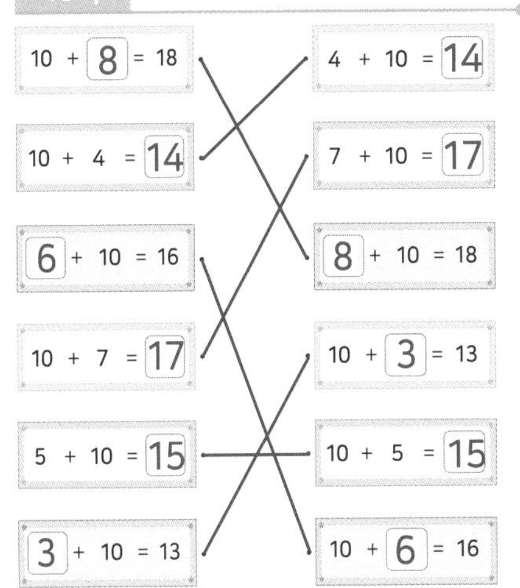

19쪽
① 10+4=14, 14
② 10+7=17, 17

20쪽
① 10+8=18, 18
② 10+5=15, 15

21쪽
① 7+10=17, 17
② 9+10=19, 19
③ 3+10=13, 13

22쪽
① 10+6=16, 16
② 8+10=18, 18
③ 10+5=15, 15

2주차 - 10 만들어 더하기

24쪽

① 10, 16
② 10, 12
③ 10, 15

25쪽

① 10, 12
② 10, 18 ③ 10, 13
④ 10, 14 ⑤ 10, 19
⑥ 10, 17 ⑦ 10, 13

26쪽

① 17
② 18 ③ 11
④ 14 ⑤ 19
⑥ 16 ⑦ 13
⑧ 12 ⑨ 11
⑩ 14 ⑪ 15
⑫ 13 ⑬ 17

27쪽

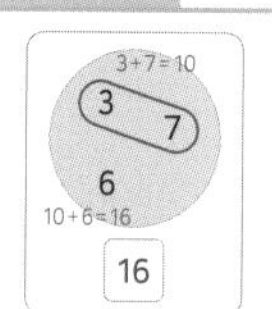

①
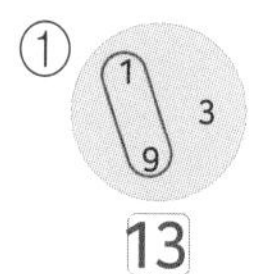

13

②
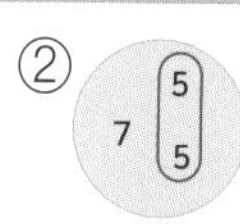

17

③
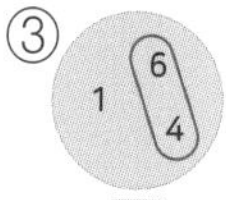

11

④
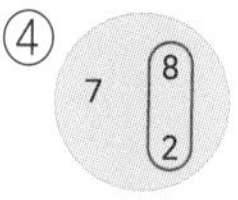

17

⑤
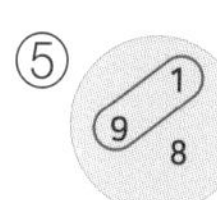

18

⑥ 15
⑦ 19
⑧ 14

28쪽

① 3, 13
② 8, 18 ③ 7, 17
④ 5, 15 ⑤ 1, 11
⑥ 8, 18 ⑦ 3, 13

29쪽

① 13
② 17 ③ 16
④ 15 ⑤ 14
⑥ 11 ⑦ 19
⑧ 18 ⑨ 14
⑩ 15 ⑪ 17

30쪽

① 16
② 13 ③ 17
④ 11 ⑤ 19

31쪽

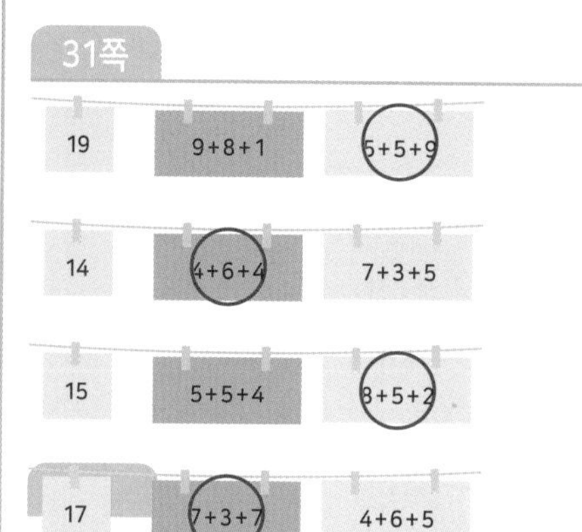

32쪽

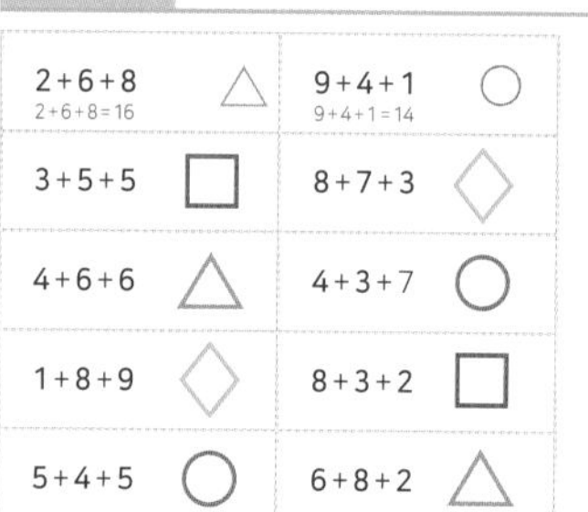

2+6+8 △ 2+6+8=16	9+4+1 ○ 9+4+1=14
3+5+5 □	8+7+3 ◇
4+6+6 △	4+3+7 ○
1+8+9 ◇	8+3+2 □
5+4+5 ○	6+8+2 △

33쪽

① 17, 재
② 19, 미
③ 13, 있
④ 15, 는
⑤ 16, 수
⑥ 11, 학

34쪽

3 + 8 + 7 — 17, 18, 19

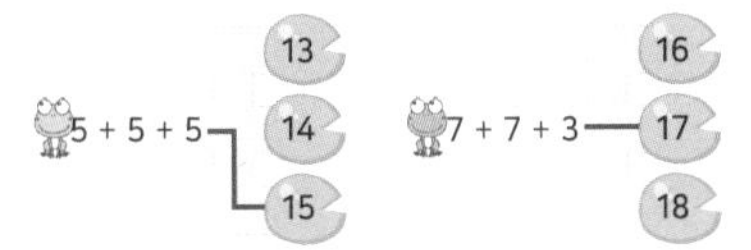

7 + 7 + 3 — 16, 17, 18

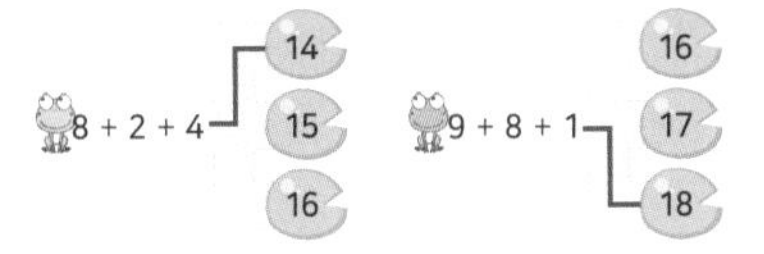

9 + 8 + 1 — 16, 17, 18

35쪽

① 6+4+7=17, 17

36쪽

① 7+3+5=15, 15

② 5+5+6=16, 16

37쪽

① 2+8+4=14, 14

② 9+1+3=13, 13

③ 7+3+2=12, 12

38쪽

① 8+2+9=19, 19

② 7+7+3=17, 17

③ 4+4+6=14, 14

3주차 - 수를 갈라서 더하기

40쪽

① 10, 15

② 10, 14

③ 10, 12

41쪽

① 6, 6, 16

② 2, 2, 12 ③ 1, 1, 11

④ 4, 4, 14 ⑤ 3, 3, 13

42쪽

① 5, 2, 15

② 1, 4, 11 ③ 1, 2, 11

④ 2, 3, 12 ⑤ 7, 1, 17

⑥ 2, 2, 12 ⑦ 5, 1, 15

43쪽

① 13

② 12 ③ 12

④ 13 ⑤ 16

⑥ 11 ⑦ 13

⑧ 11 ⑨ 16

⑩ 14 ⑪ 12

44쪽

① 11 ② 15

③ 11 ④ 11

⑤ 13 ⑥ 13

⑦ 14 ⑧ 15

⑨ 13 ⑩ 12

⑪ 12 ⑫ 12

45쪽

① 15, 11, 13, 11 ② 11, 15, 17, 13

③ 11, 13, 14, 16 ④ 12, 14, 18, 12

46쪽

① 10, 12

② 10, 14

③ 10, 13

47쪽

① 1, 1, 11

② 1, 1, 11 ③ 5, 5, 15

④ 3, 3, 13 ⑤ 2, 2, 12

48쪽

① 1, 3, 13
② 1, 6, 16 ③ 3, 3, 13
④ 1, 7, 17 ⑤ 2, 4, 14

49쪽

① 14
② 14 ③ 11
④ 16 ⑤ 11
⑥ 17 ⑦ 13
⑧ 12 ⑨ 12
⑩ 13 ⑪ 12

50쪽

① 12 ② 12
③ 13 ④ 16
⑤ 13 ⑥ 11
⑦ 11 ⑧ 14
⑨ 14 ⑩ 12
⑪ 13 ⑫ 11

51쪽

① 14, 11, 14, 13 ② 11, 16, 12, 13
③ 12, 11, 14, 12 ④ 15, 11, 12, 18

52쪽

① 1, 15 ② 2, 14
③ 3, 12 ④ 2, 12
⑤ 2, 11 ⑥ 4, 11
⑦ 1, 12 ⑧ 3, 13

53쪽

① 13 ② 13
③ 15 ④ 11
⑤ 12 ⑥ 11
⑦ 15 ⑧ 17
⑨ 13 ⑩ 16
⑪ 13 ⑫ 12

54쪽

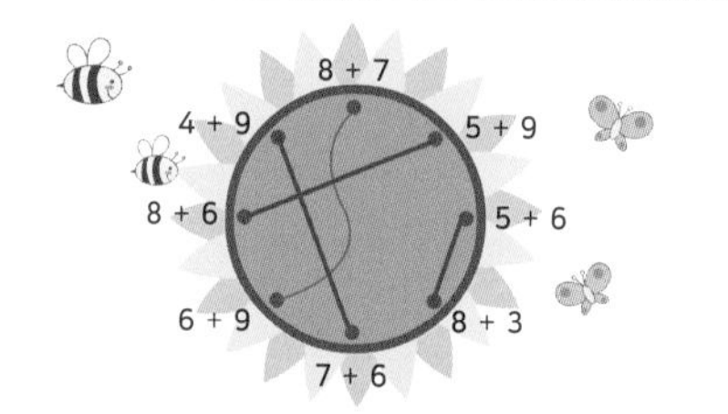

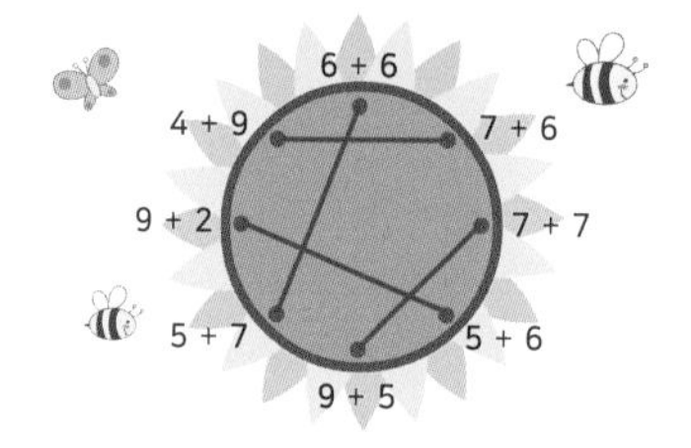

4주차 - 도전! 계산왕

56쪽

① 11 ② 14
③ 13 ④ 16 ⑤ 17
⑥ 15 ⑦ 19 ⑧ 18

57쪽

① 13 ② 11
③ 13 ④ 16
⑤ 13 ⑥ 12
⑦ 12 ⑧ 11
⑨ 17 ⑩ 13
⑪ 12 ⑫ 15

58쪽

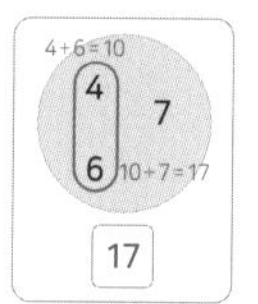

① 13

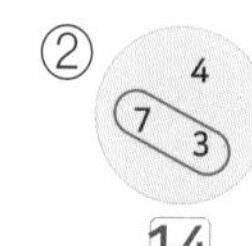

② 14

③ 16 ④ 12

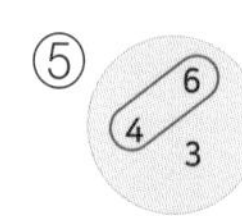

⑤ 13

⑥ 19 ⑦ 15 ⑧ 13

59쪽

① 15 ② 11
③ 11 ④ 13
⑤ 11 ⑥ 12
⑦ 13 ⑧ 15
⑨ 17 ⑩ 12
⑪ 16 ⑫ 12

60쪽

① 3, 13
② 2, 12 ③ 5, 15
④ 6, 16 ⑤ 3, 13
⑥ 3, 13 ⑦ 9, 19

61쪽

① 15 ② 13
③ 12 ④ 11
⑤ 14 ⑥ 11
⑦ 14 ⑧ 13
⑨ 14 ⑩ 14
⑪ 12 ⑫ 13

62쪽

① 2, 2, 12
② 6, 6, 16 ③ 1, 1, 11
④ 1, 1, 11 ⑤ 4, 4, 14

63 쪽

① 14 ② 11
③ 14 ④ 12
⑤ 12 ⑥ 12
⑦ 11 ⑧ 11
⑨ 15 ⑩ 13
⑪ 13 ⑫ 13

64쪽

① 3, 3, 13
② 2, 2, 12 ③ 1, 1, 11
④ 5, 5, 15 ⑤ 2, 2, 12

65 쪽

① 14 ② 11
③ 11 ④ 13
⑤ 13 ⑥ 13
⑦ 11 ⑧ 12
⑨ 12 ⑩ 12
⑪ 17 ⑫ 13

5주차 - 두 수의 덧셈

68쪽

① 13, 14 ② 13, 14, 15
③ 12, 13, 14 ④ 11, 12, 13
⑤ 10, 11, 12 ⑥ 11, 12, 13
⑦ 12, 13, 14 ⑧ 16, 17, 18

69쪽

① 14 ② 11
③ 14 ④ 13
⑤ 13 ⑥ 12
⑦ 12 ⑧ 16
⑨ 17 ⑩ 11
⑪ 15 ⑫ 16
⑬ 14 ⑭ 12

70쪽

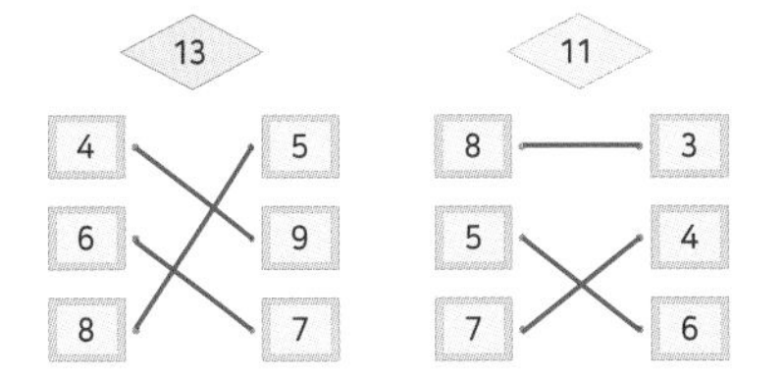

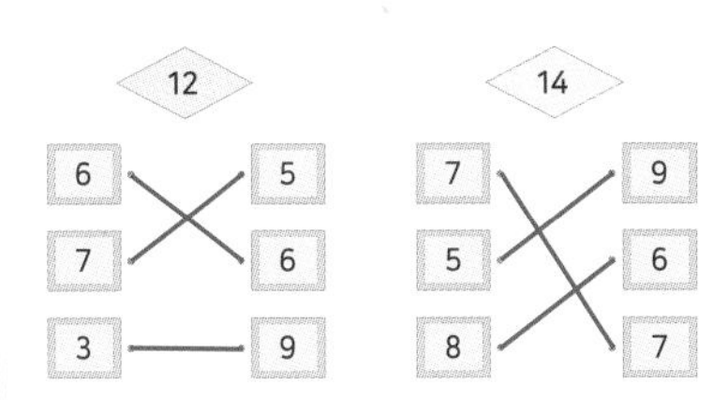

71쪽

① 11, 11

② 15, 15

③ 16, 16

④ 14, 14

72쪽

① 14, 14

② 13, 13

③ 11, 11

④ 14, 14

⑤ 17, 17

73쪽

① 15, 15

② 12, 12

③ 13, 13

④ 12, 12

⑤ 12, 12

74쪽

① 13

② 16 ③ 15

④ 12 ⑤ 12

⑥ 12 ⑦ 15

⑧ 18 ⑨ 11

75쪽

7 + 6 = 13
4 7 8

7 + 8 = 15
5 6 8

8 + 8 = 16
3 5 8

9 + 4 = 13
3 4 6

8 + 4 = 12
6 8 9

8 + 9 = 17
4 7 9

4 + 7 = 11
4 6 7

9 + 5 = 14
4 5 8

76쪽

6 + 9 = 15
5 6 7

5 + 8 = 13
6 7 8

4 + 8 = 12
3 4 5

6 + 5 = 11
4 5 6

2 + 9 = 11
2 3 4

7 + 5 = 12
3 4 5

6 + 5 = 11
5 6 7

7 + 7 = 14
7 8 9

77쪽

① 5

② 7 ③ 5

④ 9 ⑤ 6

⑥ 9 ⑦ 4

⑧ 8 ⑨ 7

⑩ 7 ⑪ 9

⑫ 8 ⑬ 8

78쪽

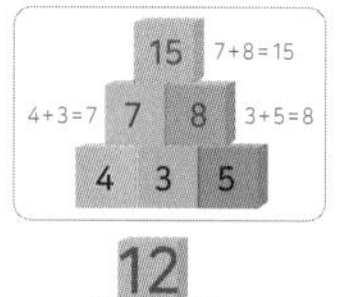

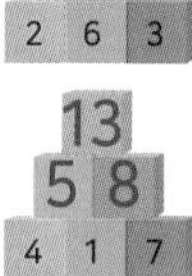

12
5 7
1 4 3

13
5 8
4 1 7

11
6 5
3 3 2

16
7 9
6 1 8

13
5 8
3 2 6

16
9 7
4 5 2

79쪽

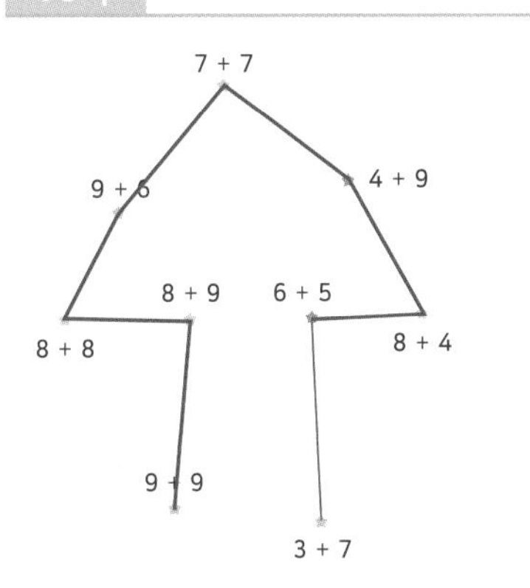

80쪽

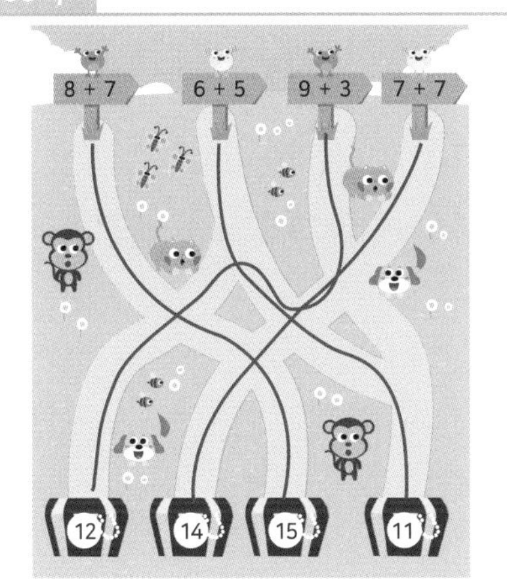

81쪽

① 7+6=13, 13

② 6+9=15, 15

82쪽

① 4+7=11, 11

② 8+8=16, 16

83쪽

① 7+8=15, 15

② 8+4=12, 12

③ 8+5=13, 13

84쪽

① 9+7=16, 16

② 3+9=12, 12

③ 6+5=11, 11

6주차 - 도전! 계산왕

86쪽

① 12, 13 ② 11, 12, 13

③ 12, 13, 14 ④ 10, 11, 12

⑤ 12, 13, 14 ⑥ 10, 11, 12

⑦ 10, 11, 12 ⑧ 14, 15, 16

87쪽

① 12 ② 14

③ 16 ④ 15

⑤ 11 ⑥ 17

⑦ 16 ⑧ 12

⑨ 13 ⑩ 13

⑪ 13 ⑫ 14

⑬ 11 ⑭ 14

88쪽

① 15, 15

② 16, 16

③ 11, 11

④ 12, 12

⑤ 11, 11

89쪽

① 14 ② 14
③ 11 ④ 13
⑤ 16 ⑥ 12
⑦ 12 ⑧ 12
⑨ 16 ⑩ 13
⑪ 12 ⑫ 15
⑬ 11 ⑭ 11

90쪽

① 11
② 15 ③ 11
④ 12 ⑤ 12
⑥ 14 ⑦ 14
⑧ 16 ⑨ 11

91쪽

① 14 ② 16
③ 15 ④ 13
⑤ 13 ⑥ 11
⑦ 12 ⑧ 15
⑨ 17 ⑩ 14
⑪ 13 ⑫ 14
⑬ 16 ⑭ 12

92쪽

7 + 5 = 12 — 5, (7), 9
8 + 6 = 14 — 4, 5, (6)
6 + 7 = 13 — (6), 7, 8
5 + 7 = 12 — 3, 5, (7)
6 + 9 = 15 — 5, (6), 7
7 + 8 = 15 — 4, 6, (8)
8 + 3 = 11 — 7, (8), 9
9 + 7 = 16 — (7), 8, 9

93쪽

① 13 ② 14
③ 15 ④ 12
⑤ 16 ⑥ 11
⑦ 12 ⑧ 12
⑨ 17 ⑩ 13
⑪ 12 ⑫ 14
⑬ 12 ⑭ 13

94쪽

① 12, 13, 14 ② 16, 17, 18
③ 11, 12, 13 ④ 10, 11, 12
⑤ 11, 12, 13 ⑥ 12, 13, 14
⑦ 12, 13, 14 ⑧ 10, 11, 12

95쪽

① 11 ② 16
③ 15 ④ 12
⑤ 14 ⑥ 14
⑦ 13 ⑧ 11
⑨ 11 ⑩ 12
⑪ 12 ⑫ 16
⑬ 14 ⑭ 15

총괄 테스트 정답

총괄 테스트

이름 점수

01 □에 알맞은 수를 써넣으세요.

10 + [3] = 13

10 + [7] = 17

02 합이 ◇ 안의 수가 되는 두 수를 찾아 선으로 이어 보세요.

◇14

8 — 6
9 — 5
7 — 7

03 □에 알맞은 수를 써넣으세요.

7 + 9 = [16]

3 + 8 = [11]

04 문제를 읽고 알맞은 식과 답을 써 보세요.

바둑알 통에서 바둑알 몇 개를 꺼냈더니 검은색 바둑알이 6개, 흰색 바둑알이 9개 였습니다. 꺼낸 바둑알은 모두 몇 개일까요?

식: 6 + 9 = 15

답: 15 개

05 □에 알맞은 수를 써넣으세요.

[4] + 10 = 14

[8] + 10 = 18

06 △에 있는 세 수의 합을 가운데 □에 써넣으세요.

△ 6, 2, 8 → [16]

07 □에 알맞은 수를 써넣으세요.

3 + 6 + 7 = [16]

5 + 1 + 9 = [15]

08 문제를 읽고 알맞은 식과 답을 써 보세요.

민수는 9개의 사탕을 가지고 있고 미진이는 7개의 사탕을 가지고 있습니다. 두 사람이 가지고 있는 사탕은 모두 몇 개일까요?

식: 9 + 7 = 16

답: 16 개

09 □에 알맞은 수를 써넣으세요.

10 + [5] = 15

10 + [2] = 12

10 가로와 세로에 쓰여 있는 수의 합을 빈 곳에 써넣으세요.

+	4	5	6
6	10	11	12

+	3	4	5
8	11	12	13

11 □에 알맞은 수를 써넣으세요.

8 + 8 = [16]

4 + 9 = [13]

12 문제를 읽고 알맞은 식과 답을 써 보세요.

다람쥐 두 마리가 각각 6개와 7개의 도토리를 모았습니다. 두 다람쥐가 모은 도토리는 모두 몇 개일까요?

식: 6 + 7 = 13

답: 13 개

13 □에 알맞은 수를 써넣으세요.

[1] + 10 = 11

[5] + 10 = 15

14 아래 두 수의 합이 바로 위의 수가 되도록 빈 곳에 알맞은 수를 써넣으세요.

15 □에 알맞은 수를 써넣으세요.

4 + 5 + 5 = [14]

8 + 5 + 2 = [15]

16 문제를 읽고 알맞은 식과 답을 써 보세요.

극장 앞 매표소에서 남자 5명과 여자 9명이 줄을 서서 기다리고 있습니다. 매표소에서 줄을 서서 기다리고 있는 사람은 모두 몇 명일까요?

식: 5 + 9 = 14

답: 14 명

세분화된 원리 학습

다양한 유형의 연습

충분한 연습

성취도 확인

천종현수학연구소의 교재 흐름도

	4세	5세	6세	7세	초 1
출판 교재					
유자수 · 탑사고력	유아 자신감 수학 3-1 만 3세	유아 자신감 수학 4-1 만 4세	유아 자신감 수학 5-1 만 5세	TOP 사고력 수학 K6 K단계	TOP 사고력 수학 P6 P단계
원리셈		원리셈 5·6세 1권 5, 6세	원리셈 6·7세 1권 6, 7세	원리셈 7·8세 1권 7, 8세	원리셈 1학년 1 초등 1
교과셈					교과셈 교과 수학의 시작! 초등 1
따풀				따라 하면 풀리는 초등 수학 7세 상 7세	따라 하면 풀리는 초등 수학 1-1 상 초등 1
학원 교재					
매직 · 로지카			K1 Magic K단계	P1 Magic P단계	A1 Magic A단계
풀업				P 문제해결사 PULL UP P단계	A 문제해결사 PULL UP A단계